竹本忠雄

未知よりの薔薇

第八巻　寂光篇

勉誠社

未知よりの薔薇　第八巻 寂光篇　目次

カバーデザイン――橋場信夫
カバー写真――ダニエル・セール
表紙デザイン――大岡亜紀
画像データ管理――山﨑誠一

第一章　転身

皇居の水妖精《みずはめ》

ピレネーの女性幻視者から受けた託宣は、恐ろしいほどの的中率をもって実現していった。

「あなたはまだ祖国のために尽くしていない。尽くせば、フランスに永住できる。尽くさねばできません」という予言である。

実際に、これを聞いた直後、パリから帰国の段取りとなり、自分の全生活を憂国活動にささげる成りゆきとなった。

ところで、それが私にとってどのような意義を持つ活動であったかについて、いま考えると、やはり、ずっと以前にある夢によって予知されていたように思われるのである。それはこのような内容だった。

私は、皇居の中にいた。といっても、見るだけの存在だったが。

亡き昭和天皇が顕れた。ご自身の物語を語られる。六歳のときにここに移り住むようになった、うんぬん、と……

すると、目の前の濠《ほり》の水から、一人の神々しい女性が浮かびでた。浄衣と緋袴《ひばかま》

を身につけている。その姿は陛下にだけ見えるのだった。

と見ると、昭和天皇は、いつのまにか若き日の皇太子の姿に変わっている。皇太子と水妖精《みずはめ》の出逢いは続いた。側近の者たちは、それをほほえましい若君の青春のひとこまと受けとって、そっと見守っているようだった。

しかし、あるとき、忽然と妖精の姿は消え失せ、あとには浄衣と緋袴だけが残されていた……

この夢を見たのは、まだ私の筑波暮らしのころ、一九九二年（平成四年）のことである。当時は自分はまだ皇室に関して格別の関心を抱いていたわけではなかったので、文字どおり、他愛のない夢のたわごとと考えたが、ノートにだけは書き留めておいた。思いだしたのは、それから五年後、パリから舞い戻って、人生の決定的転身をはかってからである。

イタリアとフランスでマリア顕現地めぐりをしたあと、いよいよこれから宿願叶ってパリ生活再開という段になって、日本から舞いこんだ一片のファクスに応えてUターン帰国してしまった自分であった。だが、そのおかげで、それまで見えていなかった祖国の姿がありありと目に映るようになった。わけても、当時まだご存命であった昭和天皇

のご宸憂《しんゆう》を知った衝撃は大きい。靖国神社親拝もままならぬ御身と国情を歎き、一連の悲歌に天皇は思いを託しておられたのであった。

御製と呼ぶには生々しすぎるほどの——稀なる荒御霊《あらみたま》の表れと評する神官もあった——激情の迸りを、十五首もの御製に託しておられる。その情念をまっすぐに受けとめて御自身の和歌に表白されたのは、皇太子明仁親王ではなく皇太子妃美智子さまだったのではと、のちに私は考えるようになった。そのとき、ありありと甦ってきたのが、あの夢だったのである。

皇居の濠から顕れた「水妖精」が、若き皇太子との逢瀬を繰りかえすというシーンは、突拍子もないことのように見えて、実は現実に起こることの予示だったのではなかろうか。

この邂逅が日本国にとって望ましい性質のものであるということは、側近の廷臣たちがほほえましくこれを見守っていたという設定に暗示されているとも考えられる。それは、日本の最も高い次元における「慨み《うれた》」の継承だったのだ。

私の人生は、夢やヴィジョンを見ると、ほとんどそれが現実化することの連続だったが、この夢も、やがて、ある形で実現され、のみならず大きな意味を付与されようとしていた。

＊

積年の念願叶って実現したパリ生活再開を擲ってまで帰国したというのに、帰ってみれば、ファクスの送り主、黛敏郎は急逝したあとだった。「日本再興のための計画に参じられたし」といった文面だったが。『曼荼羅交響曲』に代表される現代音楽の巨匠で「パリ憂国忌」以来の我が盟友亡きあとの日本に、呆然と私はたたずんだ。時に一九九七年四月だった。

いまさら、しかし、パリにとんぼがえりするようなまねはできない。国の再起に手を貸せといった亡友の信頼には応えねばならぬ。「フランス永住」と信じて盛大に送り出してくれた諸友――誰よりも歓送会主宰者の倫理研究所理事長丸山敏秋氏――の手まえ、半年早々で出戻りしたとあっては体裁が悪かったが、言い訳もならず、だんまりを決めこんで、しばし御殿場暮らしに戻った。

黛敏郎は、翌五月に設立された日本会議の初代会長に就任するはずだった。代わってその任に就いたのはワコール社長、塚本幸一氏である。氏を囲む幹部の集いに私は出席した。発言を求められたので、フランスの対日感情の悪化について述べると、国際広報委員会を立ち上げるのでその座長になってほしいと云われた。

日本会議なるものの素性について、そのときまで私はほとんど無知であった。黛敏郎への個人的シンパシーから駆けつけたにすぎない。しかし、事務総長の椛島有三氏の述懐を聞いて腑に落ちた。そもそもこの組織は、二つの憂国団体の合体によって成り、その一つ、「日本を守る会」は、曹洞宗円覚寺の管長、朝比奈宗源師の提唱によって設立されたというのである。

その設立年代が「一九七四年四月」だったと聞いて、私は仰天した。忘れもしない、それは我が一生の不覚の年である。四十一歳でパリから一本釣りにされて帰国し、人生の坂を転げ落ちた。とんでもない仮装集団に投げこまれ、悪戦苦闘のすえ、そこを飛び出て、流浪の身となった。だが、それが、日本そのものの失墜の極みに当たっていたとは！　日本はどうなるんじゃと、高僧は、お伊勢さんに叱られたというのである。

鎌倉円覚寺管長としての朝比奈宗源の名声は、つとに聞き及んでいた。二十歳代に岩波文庫の『臨済録』註解で勉強させていただいた。戦後、賀川豊彦らと世界連邦日本仏教徒協議会を結成、その会長となるなど、平和運動の先頭に立っていたが、そのような方が、伊勢神宮で啓示を受けて大転回をとげ、生長の家の谷口雅春総裁に諮って結成したのが「日本を守る会」だったということで、そうしたことを私はまったく寡聞であっ

たと恥じた。由来を語る椛島事務総長の言葉に説得力を感じながら、もう一つのことに思い当たった。

朝比奈老師の啓示体験は、同じく伊勢でのマルローのそれと同時だったということである。

マルローの場合は一九七四年五月のことで、朝比奈老師の経験と一月しか違わない。私自身、その唯一の目撃者となった。コレージュ・ド・フランスにまで招かれて、語り部の役割をも果たした。しかし、東西間——日本とフランス——でそのような奇蹟が同時生起していたとは、そのときまでまったく知らずにきたのだった。

マルローはともかく、朝比奈宗源が「お伊勢さんに叱られた」というのは、おそらく偶然ではあるまい。その年の一月早々、「靖国神社国家護持法案」が国会において最終的に廃案にされた直後だったからである。以後、天皇の靖国親拝は「私的行事」にすぎないとされた。いかなる国も、殉国の英霊を無視しては存立しえない以上、それが民主主義であろうと何であろうと、以来、われわれ日本人は魂の次元において民族漂流期に入ったと見ても過言あるまい。

このときからである——肺腑を衝くばかりの昭和天皇の悲歌が立ち昇りはじめたのは。

崩御されるまでの十二年間、「憂国サイクル」とひそかに私がお呼びするところの群詠が続いた。その冒頭の一首が、実にその年――「一九七四年」に詠まれていたのである。

しかも、そこには、一個のミステリーが秘せられているように感じられた。和歌をとおして、昭和天皇の宸憂は、美智子さまに直截に受け継がれていったかのごとくに拝されるからである。東宮妃の時期にそれは始まり、皇后となられたことでなお明らかとなった。

その最初の共振が感知されたのが、何度でも繰りかえすが、かの「一九七四年」にほかならぬ。昭和天皇の「憂国サイクル」の御製第一首と、同年、皇太子妃美智子さまの詠まれたある御歌を並べて拝誦したときに、そこにある種の和音が立ち昇ってくるかのごとき感動を喫した。

緑こきしだ類をみれば楽しけど
世をしおもへばうれひふかしも
――昭和天皇

鹿子《かこ》じものただ一人子を捧げしと
護国神社に語る母はも

――皇太子妃美智子

どちらの歌も、靖国神社の国家護持法廃止のあとに詠まれたという事実に注目させられる。

後年、私は、渡邉允侍従長に、この「護国神社」とはどこのそれでしょうかと尋ねたことがある。ところが、云わぬが花でしょうと軽くいなされた。護国神社は各県に一つずつ建てられている。そのどこかなというふうに考えてきたが、いま、こう書いてきて、はっと気づいた。それこそ、靖国神社だったのではあるまいかと。

ともあれ、たった一人の――《鹿子じもの》――愛し子を国に捧げましたと母御の雄々しくも語ることよと詠いあげた美智子さまの感懐は、もはや靖国神社の英霊に対して国として感謝を捧げることもままならないと慨嘆された昭和天皇の「うれひ」を承けての返歌のようにさえ思われたのであった。

そう見立てさせるものは、二首の歌が、それぞれ、《うれひふかしも》、《語る母はも》と、詠嘆を表す助詞の「も」でむすばれている点である。

同じ風の中に鳴る松籟を聞いたと思った。

美智子さまの背の君、明仁親王の和歌も、さすが高雅な調べで、それは御二方の合作歌集『ともしび』に鮮やかに結晶化されたとおりである。しかも、親王が平成天皇として即位されてからは、皇后美智子さまとともに、世にも珍《めず》らかな二重唱として数々の名歌を生みだしてこられた。しかしながら、こうした事実をすべて踏まえたうえで、なおかつ私には、昭和天皇の悲歌の調べを受け継いだのは美智子さまの側であるとの印象を拭いさることができない。

昭和天皇と美智子様の間の玄妙なる和音は、時を経て消えるどころか、地下水のように流れつづけていったかに拝される。昭和天皇亡きあとにまで——。日本国民にとって永遠に慟哭の日である玉音放送の日、「八月十五日」を御題に刻し、八年の間隔を置いて詠まれた皇后美智子さまの御歌の中に、松籟はなお鳴りつづけている。すなわち、昭和天皇は、昭和六十三年（一九八八年）のその日、ついに靖国親拝の叶わなかった御身を嘆いて

やすらけき世を祈りしも　いまだならず
くやしくもあるかきざしみゆれど

との絶唱——事実上の辞世——を遺して崩御されたのであったが、その八年後に、皇后美智子さまは、これまたあえて「終戦記念日」と題して、広く国民的感動を喚起した御歌——

海陸《うみくが》のいづへを知らず姿なき
　あまたの御霊《みたま》国護《まも》るらむ

を詠まれたのである。

声涙ともに下る《くやしくもあるか》との先帝陛下のご無念に応えたい、との心願なくして生まれなかった一世の名歌と拝するが、如何に。

マリアと美智子さまの姿勢

帰国後一年が過ぎたある日のこと、新聞に公表された皇后美智子さまの御歌を拝見して私は眩暈《げんうん》する思いを持った。

語らざる悲しみもてる人あらむ
母国《ぼこく》は青き梅実る頃

とあったのである。

「旅の日に」と題する御歌には註が付されていて、それによって背景は明らかであった。両陛下の英国ご訪問の折、バッキングガム宮殿に向かう途上で、背向け行為という「元捕虜の激しき抗議」を受けて、それならば国破れしゆえに悲しみを口にすることもままならず、ただ耐えるだけの元日本軍の虜囚たちの心情は如何ばかりか、その「(身の)上のしきりに思はれて」詠まれた歌——とあったのである。

あゝ、美智子さまという方は、国民に対してこれほどまでに深い惻隠の情をお持ちの方だったのだと知って、胸を衝かれた。御歌の下の句で、一見、事件とは無関係のように《母国は青き梅実る頃》と抒情性ゆたかに歌い切ったことで、却って、詠い手の限りないノスタルジアは、読み手にとっての限りない慈悲となって伝わってくる。

何という正義感、慈しみ、そして超越性であろうか。

それから八年後、私はまたも意を決してパリに舞い戻り、皇后陛下御撰歌集『セオトせせらぎの歌』の仏訳出版にたずさわることとなるが、思えば、実にこのときの感動と

覚醒が出発点であった。

同じ年、美智子さまの記念碑的ご講演『橋をかける』がＮＨＫテレビで放送された。これによって私はさらに蒙を啓かれた。とりわけ、弟橘媛にかかわるくだりには魂を揺さぶられた。「愛と犠牲という二つのものが、私の中で最も近いものとして、むしろ一つのものとして感じられた、不思議な経験……」と告白されたのだ。

この瞬間、橋はかけられた、い、い――と信じた。何に対してか。

ご講演の少し前のほうで美智子さまは、日本神話の中の「原型」について述べておられる。何よりも、戦後教育で抹殺されたこの原型――「根っこのようなもの」――に向かっての橋、ではなかろうか。

さらにこう続く。

「弟橘の物語には、何かもっと現代にも通じる象徴性があるように感じられ、そのことが私を息苦しくさせていました」

そして、止めの一言がこう発せられる。

「……愛と犠牲の不可分性への、懼れであり、畏怖であったように思います」

日本武尊の后の捨身の意義をここまで突きつめて捉えた日本女性は稀であろう。そし

てこれほどの沈潜なくして、あの《姿なきあまたの御霊》の名歌は生まれなかったに相違ない。

戦後、反民主主義的として切り捨てられた日本の根源を、根源そのものから取り戻すのだ。現代へとむすびなおす――橋をかけることによって。

その意味において皇后美智子さまの述懐は、百の保守派の日本論にもまさって雄弁であった。

それにしても、一九九〇年代のあの時期、国民意識の側に信じがたい無力感が蔓延しつつあった様相に、私はショックを受けずにいられなかった。のちに、バブル末期のその年から二〇一〇年までを指して「失われた二十年」と呼ばれるようになったが、実は前述の昭和天皇の「憂国サイクル」の開始のほうがそれに先立っているのだ。国――自民党も民主党もない――の精神的デカダンスのほうが経済的失墜に先行していた事実に目をつぶってはなるまい。

ある日、山手線の電車内で吊り広告を見て、総毛立った。日本語版『ニューズウィーク』誌の広告で、毒々しく「南京大虐殺」の文字が踊っている。いまさら何を蒸しかえそうというのか。しかし、乗客の誰ひとりとして、ちらりともこれを見ようともしない

光景のほうに、むしろショックを受けずにいられなかった。舌打ち一つ聞こえるでもない。まるで白昼夢を見る思いだった。

超然と蔑視するならいい。だが、そのようにはとても見えない。違う惑星の出来事のように、ただ、しらーっとしている。

しかし、日を経るうちに、こんなのは序の口にすぎないと気づくようになった。同じころ、「アウシュヴィッツ――ヒロシマ」という幟《のぼり》を立てたキャンペーンの車が列島を縦断している光景を目にした。これは手のこんだトリックだと、すぐにぴんと来た。一般には何のことやら分かりにくかろう。「ノーモア、ヒロシマ」の類のプロパガンダと見えたかもしれない。しかし、実際には次のような暗喩だったに違いない。お前たち日本人に原爆被害を言い立てる資格はない。ユダヤ人のホロコーストをやったヒトラーと手を組んだことへの天罰として、原爆は落とされたのだ――と。

私にはそう云いきるだけの根拠があった。

最初の滞仏生活中に、『太平洋戦争』というドキュメンタリーを見たことを思いだした。二日連続のテレビ放送だった。敵方が真っ向から撮影した山本五十六長官搭乗機の撃墜シーンもあって、これにはわれわれ在留邦人はみな泣かされた。原爆投下、玉音放送、二重橋に向かって慟哭する同胞のシーン……と続く。原爆投下は果たして正しかっ

たのかとの問いが暗々裏に投げられる。これに対する応答が、謎めいたラストシーンによって呈されていたのである。それは、広島の廃墟を背景に、一人の日本女性がたたずんでいる、ただそれだけの光景だった。胸に十字架を下げた、若い美しい修道尼である。一言を発するでもない。曖昧な微笑を浮かべて、ただ立っている。何を云おうとしているのか、一見、判じ物を見る思いだった。

長い間、このことは私の心のどこかにひっかかっていた。映像を見たときには、漠然と、犠牲者に対して神の慈悲あれという暗示かと受けとっていた。いまでは自分の甘さを嗤わずにはいられない。実際にはこれは周到に仕掛けられた暗号、罠《わな》だったのだ。旧戦勝国側からの極めつきのメッセージと見ていい。そう気づいたのは、ずっと後年のことにすぎないが。謎かけのこころは、たぶんこうであろう。

《ヒロシマ、ナガサキは、旧約聖書に描かれた悪徳の町、ソドムとゴモラである。ゴッドは、怒りをもって天から「硫黄の火」を降らせてこれを亡ぼした。日本の二つの被曝都市は、この国の犯した悪業に対する当然の報いなのだ》——と。

突飛な解釈と思われるかもしれない。しかし、残念ながら、真実というほかはない。私自身、のちに、冷水を浴びるようにある個人的体験によってそのことを思い知らされるに至る。

それほどまでに、「皇軍の残虐行為」（アトロシティーズ）は、彼らの間では既成事実化し、われわれの側からは一言をも差し挟む余地なき悪業として擦りこまれていたのだ。これすなわち、「歴史」にほかならぬ、そして「南京大虐殺」はその生き証拠である、と。

そうか、俺が帰国したのは、東京裁判で決着のついた――仮借なき日本断罪の形で――南京問題を中国が蒸しかえし、これに対して日本政府が屈従以外の姿勢を取りえないでいるさなかだったのだなと、悟った。そして再認識した。俺が引きずりこまれた「仮装集団」は、この永久日本断罪に加担する――「国際理解・国際協力」の名で国から補助金を得つつ――巧妙な仕掛の左翼組織だったのだ、と。

敵方は、嵩《かさ》にかかってきていた。折しも、アメリカでアイリス・チャンの『ザ・レイプ・オブ・南京』が出版され、扇動的なメディアに持ちあげられて大ブレークしている最中だった。『ニューズウィーク』誌の吊り広告など、そこから飛び散った火花の一粒にすぎない。「外人証人」を巧みに操ってフィクションを歴史化する中国流プロパガンダの、凄腕の勝利だ。その発端を見るには一九二〇年代にまで遡らなければなるまい。上海を舞台に展開された、ロシア発の対日情報戦まで。日米戦争は中国大陸で始まった。日本は米中に挟撃され、南京で戦闘には勝ったものの、世紀の大謀略に敗れ、東京裁判

で「犯罪国家」——韓国も加わって永久に糾弾しつづけるような——との烙印を押されたのだった……

それにしても、と私は、心中、反問した。

歴史々々というが、根底に生きているのは意外に神話的ヴィジョンなのではなかろうか。ヒロシマ、ナガサキはソドムとゴモラだというような——。よかろう。ならば、われわれ日本人の側からは、いかなる自らの神話をもって対すべきか、ではあるまいか。

弟橘媛伝説について美智子さまが語られたことの意義が、いまさらのように一段と眩しく思い返されてくるのであった。

名講演『橋をかける』をもって美智子さまが「愛と犠牲」の秘義について語り、それによって永遠の日本像を世界に向けて発信されたのは、奇しくもアイリス・チャンの『ザ・レイプ・オブ・南京』がアメリカで出版されたのと同年（一九九八年）であった。イギリスで反日行為に直面して《語らざる悲しみもてる……》と詠まれたのも、同様に——。

光と闇がこれほど交互に列島を覆っていると感じたことはなかった。事実、国の上昇

運と下降運をもたらす二つの力が、日々、鬩《せめ》ぎ合いを倍加しつつあるさなかだった。三年前、村山首相のもと、「戦後五十年」を期して衆院で「戦争謝罪」の国会決議が強行採択されるとともに、「アジア侵略と謝罪」を表す「村山談話」が発表されたのが、最初の発火点だった。自らの足に重石《おもし》をくっつけて首くくりをするような愚かさ、卑屈ぶりに、怨嗟の声は国中に満ちあふれていた。国の衰運、極まれり、と。しかも誰ひとりとして有効な行動を取りえないでいるさなかに、同年、天皇皇后両陛下が自ら「戦後五十年慰霊の旅」と銘打って黙々と長崎・広島から巡礼を始められたことの意義に、なおさら私共は感動させられずにいなかった。たしかに、戦後、これほどまでにくっきりと国の明暗が画されて国民の目に映ったことは稀だったのではなかろうか。

「陛下の祈りが皇室の意義」と美智子さまが仰せられたのは、実にその年、一九九五年（平成七年）十月二十日のお誕生日のことにほかならない。

今の世に、まったく逆説的に、すめろぎの祈りが何よりも強く直接に国民の心にはたらきかける奇蹟が起こりつつあったのだ。

殊にも、皇后美智子さまにおかれては、それはまた、形なき戦いの宣言ともみえた。戦いという言葉を、あえて誤解を恐れずに使わせていただけるならば、であるが。

半年がかりでヨーロッパの「マリア顕現」の聖地めぐりをしてきた私の目に、そのようにも、つまり異次元の照明のもとに、この高貴なる女性の姿は映ったのであった。永遠なる「悪」に対する戦いの姿をとって、である。

のちに私は、皇居で皇后さまのお話を伺う光栄に浴した折に、「神が全知全能であるならば、なぜこの世に悪があるのかと考えて、カトリックの受泉を受けませんでした」とのご述懐を承って、この印象を深めた。ちなみに日本には、永久的に執拗に存続する「悪」なるものの概念はない。最大の反逆神スサノオにしてからが、最後には天上に帰って姉神アマテラスに宝剣を返すことをもって大団円がもたらされるというのが、日本神話のフィナーレである。世の終わりまでサタンがゴッドと死闘を演じつづける西洋の黙示録的ヴィジョンの、正反対だ。このように捉えられた西洋文明の悪とは、きわめて形而上学的概念のものながら、サタンとして実在しているという実態を、とっくりと私は現地で見てきた。第二次大戦後、フランスの知識人の間では、「ガス室と原爆でサタンは復活した」というような捉えられかたをされた時期があった。思えば、若き正田美智子嬢は、つとに二十歳前後の若さで、近代西洋文明におけるこのような神への告発にも通ずる問いを抱懐しておられた例外的日本人だったと申さねばならぬ。

神が沈黙するとき、マリアは語る。
神が隠れるとき、マリアは顕れる。
そして悪と戦う――歴史舞台にまで降り立って。

ポンマン、ラ・サレットと、マリア顕現の霊場を回り歩いて私が最も驚いたのは、顕現の奇蹟そのものではなかった。この歴史世界に降り立ったマリアの姿勢だった。

そして、いつのまにか私の中で、悪を言問う美智子さまの姿勢は、カトリックの世界で「戦うマリア」と呼ばれる存在の影とどことなく重なっていったのである。

「戦う」という言葉そのものがタブーとなってしまった戦後の日本人にとって、このへんがおそらくいちばん誤解を招きかねないところであろう。つまり、武器を取ってとはかぎらない。平和の意義について、つとに美智子さまはこう仰せられているではないか。

「戦争がないことではなく、平和を生きる強い意志が必要と思います」*と。

＊一九九四年（平成六年）六月三日、クリントン大統領より国賓として両陛下が招かれた折に、渡米前の記者会見で述べられたお言葉。

驚嘆すべきマリアの空中顕現の起こった「ポンマンの星空」の奇蹟について、パリから私が皇后さまにお手紙申しあげた（第七巻　影向篇）理由の一つは、そこにあった。ゆっくりと、深く読みましたとの有難いお言葉が侍従長を介してパリまで返されてきた

のを伺って、わが思い誤たざりきと感激した。

きのう靖国、きょう拉致と、国の神聖と尊厳を犯されながら政権の府が手も足も出せないでいるときに、昭和天皇から東宮妃美智子さまへと、政治をこえた次元で救国の聖火リレーは引き継がれていった。九重の奥ふかく、一つ火として燃えつづけて。

のちに小泉首相の訪朝により初めて五人の被拉致者の帰国が実現したときに、私共国民は、皇后さまから、「なぜ私たちみながこの人々の不在をもっと意識しつづけることができなかったのか」とのご感懐――ご叱正とは呼べない――を承って襟を正した。と同時に、改めて「国母」との思いを深くしたのであった。

水晶眼は伸びて

わが憂国活動は次第に深化し、ひとり思い立って靖国神社防衛活動に馳せ参じるまでになった。湯澤貞宮司のころだった。

第三国人が境内で不穏な動きをとっていると知らせが入ったりすると、夜中でも飛んでいった。そんなある日の午前十一時、小泉首相が突然に参拝するとのニュースがテレ

ビのテロップで流されるのを見て、押っ取り刀で駆けつけた。参集殿に入って、首相が記帳するのを真後ろに立って見守った。ところが、首相が拝殿に消えるや、ただちに秘書官がビラを配りはじめた。見ると、「村山談話」を引用して、日本の侵略戦争と残虐行為についての懺悔が羅列されている。私の左側に拓殖大学の小田村総長が立っていたが、一瞥するなり、「これは何だ」と顔色を変えた。首相参拝は、及び腰の、形骸にすぎなかったのである。

つくづくと、昭和天皇の《この年のこの日にもまた靖国のことにうれひはふかし》との詠嘆を偲ばずにいられなかった。八年後、同じく「八月十五日」と日付を刻して毅然と《……姿なきあまたの御霊国護るらむ》と応じられた美智子さまの気概とともに。

別のある日——一九九九年九月のことだった——「南京大虐殺」をめぐって、有楽町の外国人記者クラブで日本人専門家による記者会見が開かれるというので、駆けつけた。アイリス・チャンの本に敢然と反論を突きつけた二人の歴史家、東中野修道と藤岡信勝の両教授を招いての会合ということで、会場には異常な熱気が篭もっていた。東中野氏は前月『「南京大虐殺」徹底検証』を出版したところで、文字どおりその徹底ぶりに私は敬服していた。

両氏を見るのは初めてだった。それぞれ具体例を挙げての発表は理路整然たるもので、誰の目にも勝負あったと思われた。しかるに外人記者たちは、あらかじめ擦りこまれた情報しか念頭にないようだった。黒人も含めて何人かの記者たちがむきになって突っかかっていく様子を見て、これはまずいと思った。事務局からリリースされたペーパーも「バイアスのかかった」しろもので、改めて容易ならぬ事態と思い知らされた。

しかし、それだけに、東中野・藤岡両教授の奮戦ぶりにはなおさら頭が下がった。そこで、閉会後、こちらから近づいて敬意を表した。そして両氏が東大学士会館で進める研究サークル「日本の声コミティ」（ＶＯＪＣ）に参加した。夜の集いに十回ほどは通ったろうか。おかげで、「大虐殺」なるものの完全に妄論なることの確証を得た。ここから日本会議の国際広報委員会を動かして、日英バイリンガル『再審「南京大虐殺」』の出版に至った。のちに批評家として大成する若きインテリジェンシー研究家、江崎道朗氏が製作の実質をささえてくれたことは忘れがたい。氏の取り持ちで私はアメリカの各界トップ五百名の人士に自筆署名入りで贈本し、チェイニー副大統領をはじめ多くの人士から好意的な返事をもらった。中に男子大学生からの一通の手紙が混じっていて、本書によって初めて歴史の真相が分かったと書かれているのを見たときは、いちばん嬉しかった。

「南京大虐殺」は、東京裁判で日本断罪の一つの決め手ともなった世紀の大トリックである。中国側は、欧米の「外人証人」を駆使して、お家芸ともいうべき白髪三千丈式のフィクションの歴史化をやってのけた。戦後はさらに日本人自身の間から走狗が出て問題を再燃させ、世界的に反日の火の手を広げた。これに対して我が方では、東中野教授の南京学会などをつうじて徹底検証を遂行し、学問的にはすでに完全に凱歌を奏したのであるけれども、政治家の怠慢と不勉強で、これを反「反日」の武器たらしめることができなかった。しかも、敵方は国際機関をとおして巧妙に反日戦を仕掛けてきている。それも昨日きょうに始まったことではない。南京戦以前の一九二〇年代から大陸的な百年戦争の長丁場の時間感覚で仕組んできていたのである。

それと、もう一つ、依って立つ彼我の基盤が天地の径庭あることを、私は思い知らされずにいなかった。

何かといえば、日本人は真理が歴史をつくると信じているが、日本人以外は、政治が歴史をつくる、さらに歴史が真理をつくると思いこんでいるということである。もともと文化的基盤──「リアリティ」というものに対する認識──が異なっているのだ。日本では、聖徳太子以来、「信《まこと》」がすべての徳目の最上に置かれてきた。新撰組の「誠」

に至るまでそれは変わらなかった。真理は自ずから顕れると信じているのが日本人である。ところが日本以外ではその反対なのだ。戦勝国側による東京裁判によって歴史は政治決着させられ、唯一それが絶対的現実となった。

映画『プライド』が上映されたときのことが思いだされる。インドのパール判事が広島の汚辱《おじょく》の石碑の前で激怒するシーンが採り入れられていて、それは、京都の太秦の撮影所で私がラッシュの形で見たときには確かに存在していた。ところが、東京の試写会で公開されたときには、そのシーンは、パール判事が憤激して風呂場で湯を浴びる分けの分からない場面に置き換えられてしまっていたのである。場内で私は伊藤俊也監督にどうしたんですかと詰め寄ったが、返事はなかった。

「過ちは繰返しませぬから」という碑文については、石原慎太郎氏が、「あれは敗戦国日本が入れた詫び証文」とさすがに巧いことを云っている。

われわれ日本人は言論の自由があると信じこんでいる。よく「自由も民主主義もないのか」と嘆く批評家の声を耳にするが、おめでたいことだ。西洋の「反日」第一線で戦ってきた経験でいうならば、自由は、目に見えない壁の内側でしか存在しないのだ。「カエサルのものはカエサルに返せ」とのイエスの言葉は永久に真実である。

ところで、明成社刊拙著（共著）『再審「南京大虐殺」』は、「日英バイリンガル」と銘打ったものの、日本で出版されたがゆえに、当然、海外での影響は限定的だった。現地で出版しなければ効果は薄いことは、私は百も承知している。しかし、それがまさに「見えない壁」によって阻まれているのである。日本文化防衛戦は、外でやらなければ意味がない。ただし、自分は英語圏では非力なので、ホームグラウンドのフランスで中央突破をはかろうと決意を固めた。英語と比べてフランス語は影響力は劣るとはいえ、文化の世界では依然、威信を保っている。フランス語圏はまだまだ世界中に健在だ。それにフランスは、こんにち、痩せても枯れても、ドイツとともにＥＵの盟主である。

ともあれ、こうして私は、かつてなく、政治・歴史とのかかわりを深めていった。つまるところ、それは、自分にとっては文化に帰する問題であったが。

頭の中には、「大事なのは自由でも民主主義でもない。日本だ」との三島由紀夫の檄文の一句が鳴っていた。三島は「文化防衛論」を唱えたが、俺は「日本文化防衛戦」をやるんだと意気ごんで論陣を張った。「勝ち抜け日本文化防衛戦」との拙論のタイトルが月刊誌『正論』の表紙を飾ったこともある。かたわら、北海道から九州まで講演旅行を重ねた。三十歳で渡仏して以来、かの地で、日本文化防衛でない活動は一度もした覚

えはなかったが、こんどはきっぱりとこれを旗幟に掲げての活動である。最初の五年間は国内で、次の五年間はパリに拠点を移して――。ここから当然、フランスと自分の関係は変わっていった。

とはいえ、私は歴史家ではない。人生のこの時期ほど日本の歴史と密着して生きたことはなかったが、歴史と接線を切り結ぶ霊性の領域に軸足を置くゆえに、傍目《はため》には、自ずと奇異に映った点もあろう。良いも悪いも、それが自分の身上《しんじょう》だった。

云いかえれば、幽顕二世界のうち、自分の場合は、幽のヴィジョン優先の世界観を持つということである。傍目からはどう取られようと、若き日に見た一場の薔薇の夢の秘密を知りたいとの思い一途で生きてきた。ところが晩年になって、顕の世界に首を突っこんだ。外見的には、ただの保守と見られたことであろう。集会席上で、「がちがちの保守」と紹介されて苦笑いしたことも一回や二回ではない。自分にとってはルーツが大事なのであって、そんな定義は着心地の悪いユニフォームにすぎなかった。

顕の世界での自分のデビュー（？）は、靖国神社からだった。帰国した年の八月十五日、靖国神社境内での国民中央集会でアピールした。たった十分ほどだったが、反応は大きかった。私が話しはじめるや、場内の空気はがらりと変わったと云われた。ちょう

どオリヴィエ・ジェルマントマ君が来日中で、一列目に同席し、立ちあがって聴衆の反応を写真に撮っていたが、席に戻るなり、こう云った。「おい、みんな泣いていたぞ」

かつて、パリの「五月革命」のさなか、若きド・ゴール派のヒーローとして活躍したオリヴィエ君の熱弁に私は圧倒されたものだったが、今度は彼がこっちの熱血ぶりに目を見張る番だった。

もっとも、その後、彼は、われわれとは距離を置くこととなっていったけれども。その間にも、世界的反日運動——要するに中国発のプロパガンダ——はフランスの知識層に対しても影響力を強化し、オリヴィエでさえそれを免れなかったからである。このことは、我が第二の祖国フランスと自分との間に生じた最も悲しむべき出来事であり、嫌でもこのことに触れずして本手記を書き終わることはできない。第三章で触れることとなろう。

ところで、靖国神社は、さすが英霊の御社《みやしろ》、共感は生者から起こるだけではないらしい。こんなことがあった。

右の中央集会から四ヶ月経った秋十月に、同じ靖国神社で「大東亜戦殁全学徒慰霊祭」が催され、その記念講演を仰せつかった。集会が終わって、御殿場の宿所に帰って

寝に就いたところ、未明四時ごろ、暗がりで、はっきりとした寝息のごときを聞いて目覚めた。私の右脇で、くうっくうっという息づかいがあまりに生々しいので、誰か忍びこんできて添い寝でもしているのかと、一瞬、莫迦なことを考えたほどだった。が、富士山麓の研究所の学生寮で寝起きしている身に、そんな乙なことが起こるはずもない。ひょっとして自分自身の呼吸ではなかろうかと息をこらしてみたが、それでも変な音は続いている。そのうちに、高鼾《たかいびき》のごとき音は、足もとのほうへと回っていった。どうやら周りを徘徊しているらしい。さあ大変だ、これは俺の寝息じゃない、じゃあ誰のだと胸につぶやいたとたん、怪音はぴたりと止んだ。

多年の経験で、自分が憑依体質であることは分かっている。ブエノスアイレスの一夜など、典型的なものだ。フランスでは「メディアム」と呼ばれることさえあった。何かが英霊の宮居から付いてきたのかもしれない。

その翌年、一九九八年（平成十年）は、明治維新から百三十年という節目に当たっていた。十一月三日の旧「明治節」（現、文化の日）に、明治神宮境内において、明治聖徳記念学会の主宰による記念講演を委嘱された。「ＭＥＩＪＩ世界かく震撼せり」と題して語った。通常の歴史事象の羅列ではなく、それより一オクターブ上げた調子で演述したところ、聴衆に電流が走ったと感じた。実は、その日の未明、一場の霊夢を見て、

私自身、びりりときていたので、それが伝わったのであろうか。

その夢を、講演の終わったあと、直会の席で披露した。明治神宮宮司、外山勝志氏をはじめ権宮司など十数名のお歴々のまえで、宴も果て、一同座を立ちかけたときに、こういうことを口にしていいものかどうかと躊躇しながらも、「今朝ほど東郷元帥が夢枕に立たれまして……」と、つい口を滑らせてしまった。「対馬沖の日露海戦の光景を、東郷さんは、いちぶしじゅう語ってくださったのですが、不思議なことに彼我の艦隊は二つの方陣をもって示されていました。大きな碁盤が左右に並ぶような幾何学的図形をもって海戦の展開をご説明くださったのです……」

一拍置いてこう続けた。

「そこでいったん私は目覚めて、また眠り、夢の続きを見ました。今度は一軒の家の前にたたずんでいました。門内の右手に一人の家僕らしき人あり、丁重に客を迎えるごとく打ち水をしていました。その前を私は通りすぎ、玄関前に立って表札を振り仰ぐと、東郷平八郎とあったのです……」

こう語りおえるや、驚いたことに、目のまえの外山宮司が「実は私も今朝、夢を見ました」と云いだしたのである。「明治神宮第三代宮司有馬良橘《りょうきつ》大将が夢枕に立ちました」と。

有馬大将と東郷元帥は日清・日露の戦争を共に戦い抜いた明治の両雄だったとのことで、こう聞いて私はいっそう奇異の念に駆られた。外山宮司と私が、膳を挟んで、中腰で互いの夢を語り合うのを聞いて、帰りかけた神職の方々は立ったまま一斉に暖かい拍手を送ってくださった。

天下の明治神宮で記念講演を行うのは一回だけでもいのちの縮む思いであるのに、どう見込まれたものか、それから四ヶ月と経たないうちに今度はもっと大役を仰せつかった。建国記念日に、一千人を擁する大ホールで記念講演をというのである。最初、とうていこれは無理だと思った。一回だけで燃焼しつくしていたからである。しかし、元来、私は、自分一個人のことはからきし駄目な人間なのに、日本国のこととなると人が変わったように奮い立つ変化を日々強く心中に感じはじめていた。神武創成をことほぐ日本国の最も神聖なる祝日に、神武創成に倣って維新の大業を達成された明治天皇を祀る神域で語れということは、取りもなおさず、国の最神聖との契りをむすぶことにひとしい……。勝手にそう理屈をつけて、無上の光栄としてお引き受けした。そして何を云うかについて思念を凝らした。

この機会に、日本の皇紀の年数と、西洋先進諸国の紀元年数とを比較して、その結果

を披露してみてはどうかと考えた。そこで西洋の場合の纏めをパリのオリヴィエ君に委嘱したところ、さっそく調査結果を知らせてくれた。その結果は驚くべきものだった。日本の場合、神武建国からその年——平成十年——までに皇紀二六五八年の長きを算するのにひきかえ、アメリカは云うに及ばず、ヨーロッパでは、国家祭日として祝される建国以来の年数は、スペインが最長で五〇七年、それ以外はたかだか二〇〇年以下にすぎないと判明したのである。

この結果を、私は演壇から伝えた。調査報告に添えられたオリヴィエ君の手紙から次の一節を引用した。

このささやかな調査を行ったおかげで、僕には、ヨーロッパ諸国と日本の違いが一層よく分かるようになった。ヨーロッパにおいては、イタリア、ドイツ、ロシア、フランスなど、どの国の共和政体においても、国家祝日として新しい政体ないし近代の記念的出来事の日を祝うのみで、われわれの真の歴史的紀元、建国なるものについてはこれを没却して——意図的に——しまっているということが事実なのだ……

壇上でこう語りながら私は、黛敏郎が執筆のさいに署名とともに「皇紀二千六百何々年」と書き入れていたことを思いだしていた。イスラム圏は回教歴を用いている。日本がキリスト教暦を用いるのは、度量衡法的にそれが便利であるからで、それ以外の精神的根拠はない。精神的根拠は、むしろ皇紀の中にこそ秘められているが、日本はそれをあっさりと放擲してしまった。

要するに、それが進歩だということで。

それでもわれわれ日本人は、ここ「代々木の杜」に、こうして、オリヴィエのいう「真の歴史的紀元」を忘れずに相会している。前大戦の敗戦国としては大したことと誇るべきではなかろうか。

他方、私は、本手記の「第六巻 秘声篇」で語ったように、パリのタンプル街の地下洞窟に集まった人々――「サイレント・マジョリティ」――の慨嘆する光景をも思いださずにいられなかった。時あたかもクロヴィス一世の即位以後千五百年というフランス王国の建国記念にあたっているのに、これを共和国は奉祝しようともしないと人々は嘆いていた。

前大戦の戦勝国にして、この有様である。それに比べれば、国破れたりといえども、こうして神武紀元を挙って国民行事として奉祝できるということは素晴らしいことなの

ですよと、壇上で私は声を強めた。これは大きな拍手をもって迎えられた。

ついで、皇后美智子さまが『橋をかける』のご講演で弟橘媛の「愛と犠牲」の意義を啓示されたことにふれて、「弟橘媛は生きている、いまなお生きていると万人が思ったのではないでしょうか」とたたみこんだ。これも大きな反応があった。

「六回も拍手が起きましたよ」と、講演が終わるや、権宮司の一人が驚いた様子で言葉をかけてきた。涙を流している人もおおぜいいたと聞かされた。たしかに、白いハンカチーフが場内で揺れている光景は壇上から見えた。会場を出てからも人々の興奮は収まらなかったようで、何人かの女性が手をつなぎ、「オトタチバナノヒメは生きている」と合唱しながら帰っていったという。

「珍しく花のある方と思いました」と手紙を寄せてきた女性もあった。歌誌『桃』を主宰する山川京子さんで、有名な歌人とのことだった。戦時下、新婚早々で応召された夫の弘至氏を台湾戦線で失い、夫恋いしの切々たる歌を詠みつづけ、このほど、見事な生涯を閉じられた。

壇上で語る私の様子をじっと見て、「あの人はだいじょうぶです、大國魂《おおくにたま》神社の神さまが憑いている」と云った人があるとも聞かされた。こう聞いて私は、かくべつ奇異とも感じなかった。むしろ、そういうこともあろうかと思った。かつて、大神神社の「三

島由紀夫の部屋」に泊まった折に、古拙な笑いを浮かべた「クエヒコ」の顕現を見たことが思いだされたからである（第四巻 筑波篇）。クエヒコとは、大神神社や出雲大社、また大國魂神社の祭神でもある大国主命の化身と見られている。

明治神宮での二つの記念講演をまとめて『明治閃光の記憶』と題して出版したところ、序文を寄せてくださった外山宮司から、「渾身を込めてつむいだ一大史詩」と評された。たしかに自分は、明治創建の日本を一篇の叙事詩として吟じたかったのであって、砂を嚙むような戦後日本の歴史教科書のように語るつもりは毛頭なかった。

とはいえ、好い気になってばかりいられなかった。こうしたスタイル――スピリテュアルな――は、別の取りようもあったからだ。あるとき、九段会館の控室で講演の出番を待っていると、脇に坐った男性から不意にこう云われた――

「神懸《かみが》りなんだって？」

中條高徳、と名乗った。アサヒビールの名誉顧問で、『おじいちゃん戦争を教えて』という本を出して評判の人だった。が、いきなりこう云われて、こっちはややむっとした。「神懸かり」そのものは悪い言葉ではない。日本の夜明けも、アメノウズメノミコトが「神懸かりして胸乳をかき出で」て天の岩戸が開かれたことから始まった。もちろ

ん、中條氏は、何の気なしに云った言葉であろう。しかし、私は揶揄された感じがして、思わず、

「神懸かりって何ですか」

と言い返した。

その語気に相手は押し黙り、話はそのまま途切れた。

いまにして思うと、元帝国陸軍将校、中條高徳の一言は的をついていたのかもしれない。しかし、何と思われようと、時に聴衆と自分の関係が神秘的性質を帯びることは否定しようがなかった。こんなこともあった。どこの会場だったか、かなり広い空間の中にいた。無我の境地でしゃべった。気がつくと、満場の人々の目から、水晶のようにきらきら光る結晶状のものが細長く伸びて、それらが壇上の自分めがけて滝のように集中してきているのだった。

その光景は、疑いようもなく、はっきりと見えた。

その後、別の講演会場で、もういちど、同様の体験を持った。

人間の目には不思議な力が篭もっているに違いない。これには先行するある出来事があった。まだ筑波生活のころ、わが尊敬措くあたわざるレジスタンス戦士、アルフレッ

ド・スムラー氏を瀕死の床に見舞ったときのことである。往年のヒーローは酸素吸入器に鼻と口を覆われて横たわっていた。それでも口をきくことはできた。じっと私を視つめて、「君はいつも詩人だった」と云った。これは私にとって最高の讃辞だった。苦しい息の下で、あとは言葉はなかった。そのときである、両眼から水晶のように光る結晶体が細長く放射されて、こちらへ伸びてきたのは。

数日後、アルフレッドは死んだ。拙訳（吉田好克との共訳）による『アウシュヴィッツ186416号日本に死す』が世に出たのはその翌年である。

見えない世界との交流を長い人生で重ねてきたが、知らずしてそれが深化したのであろうか。

この深化の過程で、見えない世界とは、もはや霊的、抽象的なものに留まらず、物質化の力を持つようだった。顕現したマリアを幻視者たちがフィジカルな実在と捉えていたことが思いだされる。マリアはともかく、講演中、自分が見た、あの光線の束は、あれはいったい何だったのであろう。

何であろうと、「水晶眼」を視た事実に変わりはない。

第二章　古戦場

アレジアにて

「ここがガリアとローマ帝国の決戦場だよ……」

ひょうびょうたる丘陵地帯に入ると、歩を止めてオリヴィエは云った。ついで、周囲より一段と高い、かなたの丘を指さして、

「あそこがアレジアの古都だったんだ」

初秋の淡い光を浴びて、牛臥山とでも呼びたい格好にその丘はうねっている。

「ヴェルサンジェトリクスが死守しようとした城郭都市だね」

と私は応じた。

太い八時髭を生やしたその歴史的ヒーローの巨像を、ここへ来る途中でわれわれは振り仰いできたところだった。

「あゝ、われらガリアの民の偉大なるご先祖さまだよ。彼の率いるガリア連合軍が、カエサル（シーザー）率いるローマ軍と、ここで激突した。我が方が勝てば歴史は変わっていたかもね。少なくとも、そう早々とはラテン化はされなかっただろうよ」

「いま僕らがしゃべっているフランス語もなかったかもね」

二人は笑った。

二〇〇一年（平成十三年）九月二十九日――

アルカイーダによる「9・11」全米多発テロ事件から二週間しか経っていないのに、呑気にも私はこんな突拍子もない場所に来ていた。つまらない所用で、とんぼ返りでフランスに来たときのことである。その間に、オリヴィエ君からブルゴーニュ州の別荘に招待され、そこから遠からぬアレジアの戦跡に連れてこられた。

あの一九六八年の「五月革命」から三十三年もの歳月が流れていた。反革命の旗手として電撃的に登場し、一躍脚光を浴びた「学生ジェルマントマ」は、いまでは四人の子どもの良きパパである。人生の駆け出しでド・ゴール研究所の初代代表となり、フランス文化放送のディレクターとして敏腕を鳴らし、作家として名声を博した。処女作『インドの誘惑』は、扉に私あての献辞を記し、二人の友情は公的なものとなっていた。その間、彼は訪日を重ね、「眠れるニッポンよ目覚めよ」と叱咤する『日本待望論』を出版して評判を呼んだ。

もっとも、そのせいで彼はフランス本国で危うい立場に立ったであろうと薄々察しないではなかった。それにしても、「反日」の激化とともに、多年の友情までひびが入ることになろうとは、そのとき私はまだ思ってもみなかった。

そうとも知らず、二千年前の天下分け目の古戦場、アレジアの原頭《げんとう》に二人は佇んでい

たのだった。

「もう少しでガリアは勝つところだった……」

腕組みをして、瞑目するようにオリヴィエは云った。

この口ぶりに情念を感じて私は、おやと思った。紀元前五二年という遠い出来事でも、やはり血は騒ぐものか。

ケルト人の住む「ガリア」とは、フランスの古名、「ゴール」に対するローマ側からの呼び名だ。われわれ日本人にとって「大和」というほどの懐かしい響きを持っている。ド・ゴール将軍は、名前だけでもフランス人にとって神話的効果をおよぼすらしい様子を私は見てきていた。そこで、こう応じた。

「ゴーロワ精神——ガリア魂——という言葉があるね。飛躍した見かたとは思うが、僕は、アレジアの合戦に、第二次大戦下のフランスのレジスタンス活動に通ずる抵抗精神を感じさせられてきたよ。『パリ憂国忌』という拙著で、こう書いたことがあるくらいだ。日本にも反逆の戦士、ヴェルサンジェトリクスが出なくてはならない、とね」

そう云いながら私は、ピレネーの女性幻視者から云われたことを思いだしていた。

「あなたは前世で、反乱軍の隊長として処刑されています」と。俺には、自分でも気づか

ない反逆的な血が流れているのかな。何度か無鉄砲に動いて手痛い目に遭ってきたが。「強大なローマ帝国に楯突くなんて大変なことだった」とオリヴィエは続けた。「ハンニバル、スパルタクス、そしてヴェルサンジェトリクス……。僕らフランス人の目からすると、日本の三島由紀夫は、現代のローマ帝国であるところのアメリカに対して断乎、ノンを突きつけた反逆の英雄として映るんだよ」

「そういう君自身、来日して、日本よ目覚めよと説いて回り、喝采を浴びた……」

そう聞くや、一瞬、オリヴィエの顔に暗い影が射したように感じたが、その時にはまだ私にはそれほど気にならなかった。

「ガリアと呼ばれた《アルプスより北》のヨーロッパを平定するのに、カエサルは八年もかかってね」とオリヴィエは口調を改めて語りだした。「その最後に苦戦した相手が我らの祖先のケルト人だったんだ」

「ヴェルサンジェトリクスの反乱だね」

ウイと答えてオリヴィエは、ふたたび、かなたの高い丘を指さした。

「北方ケルト人の世界は雑然たる部族の集合で、国として体をなしていなかった。それを、勇気と知略をもって纏めあげ、王と見なされて君臨していたのが、ヴェルサン

ジェトリクスだった。で、彼は、あの丘に城塞を築いてローマ軍を迎え撃った……」

久々に爽やかな旧友の弁舌を小気味よく聞きながら私は、かなた、真っ正面に、ゆるやかにどこまでも裾野を広げる丘陵の頂《いただき》を、改めてとっくりと打ち眺めた。

あの丘の向こうに川が流れ、われわれの立っている草原の後ろも川だった、と説明は続く。死闘は、まさにここの草原を舞台に繰りひろげられた。丘上のアレジアの城郭は精鋭を誇る騎兵八千騎と歩兵二十五万を擁し、周囲を長い二重の濠をめぐらして固めていた。これに対して精鋭八万余のローマ軍は、さらに延々と全長十五キロにわたって包囲陣を敷き、三重の濠をめぐらし、底には逆茂木《さかもぎ》を植えつけて相対した。しかも、ローマ軍は、そうした鉄壁の構えの背後に、一定間隔に高い櫓を組んで戦場全体を監視させるという徹底ぶりだった。

「われわれのいるこのあたりは」とオリヴィエは右手で大きく弧を描いた。「ローマの攻撃軍の陣地だった……」

合戦は、最初、アレジア側の騎兵隊が城門から打って出て、平地で敵の騎兵隊と戦うことから始まった。正々堂々たる騎馬戦で、ローマ軍は、もしゲルマニアからの援軍が到着しなければ緒戦に破れるところだった。逃げるガリア軍を追って大殺戮が始まり、ヴェルサンジェトリクスは城内に逃げ帰って援軍を待った。到着した援軍に城内から呼

応して夜戦に入り、両軍、投石機と弩砲で遠方から応酬し合い、しかるのちに入り乱れて激戦を繰りひろげた。丘上のアレジア軍は、高みを利して優勢で、二度攻撃に駆け下ったが、二度とも撃退された。

形成危うしと見てヴェルサンジェトリクスは、配下の四将軍に命じて敵陣を新たに査察させた。そして夜明けとともに総攻撃を仕掛けた。すなわち、用意した土砂をもって敵陣の三重の濠を埋めて突貫し、同時に衆をたのんで周囲から恐ろしい鬨《とき》の声を上げさせた。これには、さしもの千軍万馬のローマ軍の将兵も震えあがり、勝利はアレジア側に傾くかにみえた……

講釈師よろしくここまで一気に語ったオリヴィエが一息入れた瞬間に、私は割って入った。

「《人の心は、目に見えるものより目に見えないものによってより激しく掻き乱される》とカエサルが嘆いたのは、そこだね」

「よく知っているな」

と、オリヴィエは感心した様子。

「こう見えても僕は、『ガリア戦記』の愛読者だからね」と、ちょっと胸を張る。

「淡々たる客観的記述の中で、たった一ヶ所、そこだけ人間心理に触れた表現があった

ので、記憶に残っているんだ」

「そうだよ。恐れたら負けなんだ、戦いというものは。そこをいかに持ちこたえるかに指揮官の力量は掛かっている。ナポレオンはその天才だったし、ド・ゴール将軍も……」

「《フランスよ、レジスタンスの炎を絶やすべからず》だね、ロンドン・アピールの」

「うむ、そこから敗北の運命をひっくりかえした」

その逆転劇がアレジアで始まろうとしていた。

勢いに乗じてガリア軍は、土中の落とし穴をも逆茂木をも埋めて殺到し、立ち並ぶ櫓の守備隊をも蹴散らして、本陣へと迫った……

ここぞと、オリヴィエは声を張りあげる。

「もう我が方には飛び道具も根気も残っていなかった、とカエサルは書いている。それまで、この大隊、あの大隊と、随所に応援を送るよう指揮していたが……」

「たしか、その中に、ブルートゥスもいたんだね」

「あゝ、青年ブルートゥスと記されている。最後にカエサルは、《ブルートゥス、お前もか》と云って元老院で刺されるんだが、この言葉に篭もる無念を知るには、いかにカエサルが彼を可愛がっていたかを知る必要があるね。戦後、属州となったガリアの総督

に任じたくらいだからね。おまけに、ブルートゥスの母は、カエサルがぞっこん惚れこんだ愛人だったんだ」

「クレオパトラの前かね、後かね」

「もちろん、前さ。カエサルとクレオパトラの一世の恋物語が生まれたのは、ガリア戦が終わってから三、四年のあとだったからね」

「政治も、戦も、恋も、やることが桁違いだね」

「あゝ、ユリウス・カエサルその人が歴史だったと云われるゆえんさ。ところで、その命運も、まさにこの場で、もうちょっとで燃え尽きるところだったんだよ……」

そこでいったん言葉を切ってオリヴィエは、しばし沈思するようにふたたび腕を組んだ。

カエサルの深紅の外套

夏のヴァカンスも済んだこの時期に、二千年以上も昔の古戦場にまで出かけてくる物好きは、他にはなさそうだ。この地にアレジア記念館が建ったのも、もっと先のことだ。歴史とは、史書と、遺跡と、旅の想像力以外のどこにあるのだろう。いや、ほかにも、怨霊があるのかもしれない。われわれの唯物主義文明が駆逐してしまったというだけの

ことで。

実際に、得体の知れない何物かが、そのとき、その場で我が身に取り憑こうとしていたことに、私は気づくよしもなかった。


「……戦況が変わったのはそのときだった」

やおら腕を解いて、重々しくオリヴィエはまた口を開いた。

「カエサル自ら戦場に登場した瞬間からね。周囲の兵士たちに、彼はまず、こう叫んだ。ローマ帝国の興廃、かかって此の一戦にあり、とね。そして近くの要塞から四個大隊を選ぶと、騎兵隊は自分のしんがりに付けさせ、残りを敵の背後に回らせた。さらに別に十一個大隊もの大軍を集めると、自ら決戦場へと打って出た……」

厳しい細面の表情をなおもこわばらせて、語り手はオクターヴを上げた。

「時にカエサルは、深紅の将軍外套を羽織っていた。ここ一番というときの戦闘服だ。で、この右手の丘上に現れると」と斜め前方を指さして語り継ぐ。「その姿は、敵味方から同時にはっきりと見えた。両軍は天にも届けとばかり喊声を上げ、保塁や塹壕から飛びでると、長槍をしごいて突進した。激突して長槍が折れると、それを捨てて白刃を切りむすんだ。このまま続けばガリア軍が勝ってもおかしくなかった。ところが、その

とき、あらかじめカエサルが配した騎兵隊が敵の背後を突いて攻め立てた。ここから一気に我が方は総崩れとなった。そして敵の潰走するあとを騎兵隊が追って大殺戮となった……」

「我が方」という云いかたが繰りかえされるのを聞いて、ふたたび情念を感じさせられた。遠いケルト時代とはいえ、アレジアは、やはり彼らの国のまほろば、なのか。

翌日、アレジア城市の中で、敗軍の将ヴェルサンジェトリクスは会議を招集し、潔く運命を衆議に任せた。

「そこのところの――そこだけではないが――『ガリア戦記』の記述は立派だね」と私は云った。「敵にも畏敬を払って書いている。これが運命ならば従おうと敵将は云ったとね」

「そうだよ。余を殺してローマ人に償いをするなり、生きたまま引き渡すなり、好きにせよと云ったんだ」

ケルト人は後者を選んだ。

「ヴェルサンジェトリクスはローマまで連れていかれ、そこで市中を引き回しにされたあと、処刑された。たしかにカエサルは、敵ながら彼をあっぱれと思っていただろうが、しかし、異常に憎んでいたという感じは拭えないね」

そんなことは『ガリア戦記』には出てこないなと、こっちは記憶をまさぐっていた。ゴーリスト・オリヴィエの愛国心だろうか。

しかし、遠からず私は、「日本人の残虐性」という風評に異常に彼がこだわっている様子に不安を感ずることとなる。二千年前のガリア戦争ならいい。だが現代史となると、こっちも黙っていられない。音もなくわれわれの間に亀裂は広がろうとしていた。

秋の陽は傾きかけ、野面《のづら》を渡る冷気に私はコートの襟を立てた。その場を立ち去ろうとして友は、その仕草に目を止めた。

「おや、君も、真っ赤な外套だな」と云った。

そう云われて、初めて私も奇妙な暗合に気づいた。アレジア原頭は寒いからとて、その朝、ランティイの里の別荘を出しなに、オリヴィエは自分の厚手の赤い半コートを私に羽織らせてくれたのだった。

おまけに、その日にかぎって私は赤いマフラーを首に巻いていた。パリのバック街の専門店で買ったカシミヤ製のしろものである。マフラーもコートも真っ赤っか、そんなけばけばしい格好は、我が人生で後にも先にもそのとき一回きりしかしたことがなかった。

どうでもいいようなことを思いだしたのは、比較的最近になってからのことにすぎない。

*

「顕現」のテーマで、最近、一般社団法人倫理研究所で講演を行った折に、パワー・ポイントの準備をしながら初めて気づいたのだ。アレジアで買った絵葉書の一枚と、その場でオリヴィエが撮ってくれた私の写真を見比べて、奇妙な類似性に引きつけられたのである。

絵葉書は、見事な合戦の光景を表している。左側に、カエサルであろうか、赤い外套をひるがえした騎馬の武将が、右手《めて》に槍をかざし、眼下の戦場に駆け入ろうとしている。そこには兵士が雲集している。その向こうには左右に壕が走り、さらにその先には高い櫓が並び立ち、遠くにアレジアの丘が見える。オリジナルはなかなかに壮大な歴史画らしい。

いっぽう、私自身の写真のほうは、例の上半身真っ赤な服装で写っている。遠方に、これまたアレジアらしき丘が見える。

二つの画像の類似だけでも奇妙なのに、もう一つ変てこりんなものがあった。私の写

真に、奇怪なものが写りこんでいるのだ。

画面、向かって左側に、巨大なマシュルーム状のお化けのようなしろものが見える。物体だか、気体だか、私に襲いかかるように接近しているのだ。しかし、その一部しか写りこんでいない。ばかでかい丸い頭部と、その下の胴体めいた部分との間の、くびれたところだけが、ほんのりと影のように薄赤い。

フィルムに刻印された月日によると、その日は二〇〇一年二月九日だった。いま、この稿を進めつつある二〇一九年二月現在から遡ること、もう十八年になる。

いまさらながらと思ったが、パリのオリヴィエに写真を送ったところ、何だか見当がつかないと返事が来た。こちらが「ファンテジスト」（幻想家）――彼の表現によれば――であるのと同じほど、向こうは合理家といってよかろう。予期したとおり、慎重な対応であった。

かりにこれが超自然的な何かだとして、いま私の思うことは、こうである。

前記のごとく、歴史なるものが史書と遺跡とわれわれの想像力の中にしか残っていないとしても、もう一つ、別次元があるのではなかろうか。出来事の起こった場とむすびついて、何らかの形で記憶が働きつづけるということが。

本手記でも、わが人生の実体験として、すでにそのような経験を幾つも物語ってきた。若き日、京都に向かう東海道線の夜汽車の中で、関ヶ原の合戦の渦中に巻きこまれてしまった例を初めとして。（第一巻第四章）

ナポレオンが敗北を喫したウォータールーの古戦場での出来事を新聞のコラムで読んだことがある。合戦の記念日に誰かが猟犬の群れを連れて入ろうとしたところ、犬たちは逆毛を立て後ずさりし、進もうとしなかった。明らかに何かがある、というのだった。

知性とわれわれが呼ぶところの合理精神は、すべてこの種の体験を幻想として片付けようとする。私自身もそうした現象に出喰わすたびに、反射的に押し斥けてきた。しかし、時とともに、幻想と混同されがちな幻視、ヴィジョンのほうこそ、実は真の現実なのだと確信するに至った。憑依体質ということもあろうが、こうした観点から見るならば、アレジアの原頭で、異邦人たる自分に、浮遊する何物かが寄ってきたと考えられなくもない。シンパシーか、アンティパシー（反感）かは、定かでないが。

アレジアでは、散策のあと、オリヴィエの別荘に引きあげたが、もし現地で、平安時代の貴族のように「野をなつかしみ一夜寝にける」とでもいう成りゆきになったとしたら、どうであったろう。マシュルーム型の大入道に取り憑かれていたかもしれない。ブエノスアイレスの一夜のように。

話は飛ぶが、世阿弥の能の大半が、回国の旅人——多くは僧侶——のヴィジョン体験であることを思わずにいられない。

歴史が政治と化した現代において、きっとわれわれは大きな思い違いをしたままなのではなかろうか。たとえば、日本の進歩主義者たちにとって歴史家トインビーは神さまだった。だが、この神さま自身は、実はたいへんなヴィジョネール（幻視者）だったのだ。自分はヴィジョンを見ることから歴史に入っていったと告白している。かくかくの歴史的名所に立った瞬間に、そこで起こった過去の大事件をありありと幻視したというのだ。もっとも、あの膨大な全二十巻の『歴史の研究』の第二十巻目で漸くそう書いているので、これに注目する人は稀であろうけれども。

ユングも、人生の最後に『自伝』で、彼自身がメディアムだったことを告白している。たしかに、科学者が最初から心霊体験を語るわけにいくまい。科学者だって語ってもよかろうと思うのだが、寅さんのせりふではないが、それを云ってしまってはおしまいよ、なのであろう。

云いかえれば、そこに文学の出番があるわけだが。文学は「記述すれば足りる」と三島由紀夫が云うとおり。かくて、愚生も、かくのごとく、延々とこの手記を書きついでいる。

第三章　パリ防人の賦

呪詛

アレジアの古戦場からパリに戻って一週間が過ぎたときだった。とんでもないことが起きた。二〇〇一年十月五日付のル・モンド紙の一面トップに、こんな見出しがでかでかと出たのだ。

《恐怖で腹いっぱいにして死んでいった日本のカミカゼたちの地獄》と。

一瞬、何だこれはと疑った。

ビン・ラディン一味による全米多発テロが起こってからまだ一ヶ月と経っていないころである。マンハッタンの高層ビルにハイジャック機が突っこんだ恐怖から世間は覚めきっていない。だから、「アラブ・カミカゼの地獄」というのなら分かる。それがなぜ「日本のカミカゼたちの地獄」となるのか。

記事の書き手の名でぴんときた。「在日特派員フィリップ・ポンス」とある。彼の駆け出しのころを私は知っていた。というよりも、これぞ人生の皮肉というべきか、かつては、私のほうがル・モンド紙の書き手で、同紙に彼のことを取りあげたことがあったのだ。三十代、パリで文芸批評家として登場したころで、同紙に何度か書いて脚光を浴びたが、その中のある文芸時評にポンス訳の安部公房作『燃えつきた地図』を取りあげ

て、まともな翻訳だと評価したのである。その後、彼が同紙の駐日特派員、さらに支局長となり、不可解な反日的記事を書くのを目にするようになって、うろんな思いを抱かされたが、まさかこんな大上段に振りかぶって物云いをするとは思わなかった。そして読みはじめるや、怒りで手が震えた。「9・11」事件に事寄せて日本を――アラブではなく――断罪しているのだ。こんな面妖な物云いから始まっている。

アメリカを目標とした多発自爆テロは多くの点で第二次大戦中の日本のカミカゼを想起させる。ＦＢＩが見つけたアラブ自爆者たちの手記を読むと、その宗教的激昂ぶりに比べれば、日本のカミカゼ・パイロットたちは風下にも置けない。彼らも上官から「ヒーローの天国」を教えられたかどうか分からないが、実際には、敵の目標に突っこんでいった三千四百五十人の隊員中、勇躍して出撃した者はほとんど皆無だったのである。

大和魂はアラブ・テロリスト以下だと云っている。
ここから、こうだんびらを振りかざす。

知覧の特攻戦士記念館に収められた若き隊員たちの遺書を見れば、彼らの最後の思いは両親、殊に母親、鎮守の杜の神さまなどに向けられていて、この戦争の元凶たる天皇に向けられていなかったことは明白だ。

「特攻隊員たちは進んで志願したわけではなく、心理的重圧から逃れられなかった」と歴史学者の秦郁彦は記している。

カミカゼ・パイロット戦術は「ペイ」したか？　否。「彼らはびくびくもので、最後の瞬間に機首を立て直す者さえあった」

知覧の基地で働いた女子中学生たちの証言集によれば、隊員たちは、出撃命令を受けるや顔色を変え、そこには困惑と恐怖と絶望がありありと見てとれたという。ある者は、布団をひっかぶって「公式の」遺書を書きはじめたが、ひそかに両親あてに別のを書き、それを少女に手渡すのだった。中に一人、宛先を書かない者がいたので、どうしたのですかと聞くと、何と、こう答えたのである——「俺の住所は地獄だよ」と。

長い人生で私は何度か手ひどい裏切りを受けたことがあったが、これほどのショックはなかった。国恥ともなれば、とうてい私怨の比ではない。

パリの日本人社会がどうこれを受けとったかが、まず、気になった。そこで、ユネスコ事務総長の地位に就いて間もない松浦晃一郎氏に会いに行った。氏は駐仏日本大使時代に一度、私の歓迎昼餐会を開いてくださったことがあった。

「フィリップ・ポンスには困っているんですよ」

と、のっけから、事務総長は慨嘆した。しかし、具体的にどう対策を取るかといった話は出なかった。

概して、日本の政治・外交は世界的な反日活動に対して不感症すぎると、私は感じてきていた。日本での憂国活動期間中、「虚説南京大虐殺と反日謀略史」という大きなチャートをひっさげて辻説法して回ったときに、つくづくそう実感した。辻説法の評判は広がって、某政治家に呼ばれて帝国ホテルで四時間連続レクチャーをさせられたりした。驚いたその人から外務省に紹介され、こんどはそこの欧亜局長相手に釈迦に説法のようなことまでやらされた。そのとき、局長から、ひととおり聞いたあと、「反日は日本人の側でやっているんですよ」とクギを刺されたことが忘れられない。たしかにそれは反面の真理に違いない。だが、外から鉄砲を撃ってくる敵に対して応戦することが外務省の仕事のはずなのに、漫然と無作為であることがこれほどの悪化を招いた事実は否定しようがあるまい。

反対に中・韓は、国際機関の利用においてははるかに巧妙かつ熱心なのである。やがて中国は「南京大虐殺」をユネスコの「世界記憶遺産」に登録し、韓国もその尻馬に乗って「慰安婦」で登録するに至る。事ここに至って日本政府は漸く重い腰を上げたが、時すでに遅すぎた。反日毒素はたっぷりとフランスにも行きわたってしまっていたのだ。

国際機関とともにメディアの活用においても敵側勢力の工作は徹底していた。ル・モンド紙は最も権威あるその拠り所だ。知日家・親日家のフランス人が次々と一本釣りにされ、筋金入りの反日家に仕立てられていったのだ。フィリップ・ポンスはその一例といえよう。彼が在日支局長になると、その片腕としてミシェル・テンマン君という青年が特派員となった。これも私は以前から顔なじみだった。というのも、同君は、日本のマルロー研究という研究テーマを抱えていて、このことで指導を請いたいと、筑波の拙宅にまで何度も出向いてきていたからである。ほっぺたの紅い初々しい若者として印象に残った。それが、あっというまに猛々しい反日ライターに変身してしまった。「靖国・教科書（南京・慰安婦）・皇室」の三点セットで毒々しい記事を書きまくり、日仏間で偏向マルロー論を出版することで立派に恩義を返してくれた。

久々の、ほんの数日間のパリ滞在だけでも、フランスの反日メディアの横暴と知日派

を鳴らしていた。しかし、日本の内側から見ているかぎり、「まさか」としか人は信じとに私はこれを「アンチ・ヤマトイズム」と呼んで、フランスのラジオにまで出て警鐘私は見た。ほとんど往年の反ユダヤ人主義に匹敵するような固定観念でさえあって、つは、「犯罪国家」日本相手なら何をやってもいいという民族差別主義が根づいているとに潰《けが》し、地獄にまで突き落とす――およそ世にこれ以上の陋劣な行為はあるまい。そこに文字で表すとすれば「瀆《とく》」の字になるのではなかろうかと考えさせられた。一国の魂をしその本質を日本人はまだ摑めていないように思われた。それは、清水寺の貫主風に一「日本たたき」、「バッシング」という言葉が大流行となりつつあるころだった。しか

アラブ・テロが起これば日本はそれ以下というふうに――。
あるが、そのように、あらゆる機会を利用して日本たたきをやってのける流儀と見た。筆法」があるということが分かった。「あらゆる風に種を撒く」というフランスの諺がたからである。歴史に「春秋の筆法」があるように、ジャーナリズムに「ル・モンドの
それというのも、事は歴史以上に文化に、そして文化以上に魂の次元にかかわっていターン・マッチするに先立って、たいへん役立ってくれた。
の変貌ぶりは十分に見てとれた。このことは、新たにそして最終的に私がこの国でリ

ないようであった。こうした無知、楽観が、のちに「慰安婦」問題で韓国の「反日無罪」といった無法行為をのさばらせていったのではないかと思う。*

＊二〇一九年現在、韓国の李栄薫編著『反日種族主義』が邦訳されて話題となったが、この書名の意味するところは要するに私のいう「アンチ・ヤマトイムズ」に帰するのではなかろうか。

そもそも文化とは、愛しかた、死にかたにまで表れるところの何物かである。特攻（神風特別攻撃隊）も例外ではない。いや、特攻こそ、日本的流儀の極みと云いたい気がする。靖国神社に収められた若き特攻戦士の手紙を見れば、およそフィリップ・ポンスの筆法──「瀆」──とは正反対であることは一目瞭然である。同じフランス人でも、かつてアンドレ・マルローが、出光佐三翁との会見で、「私はカミカゼを尊敬します」と激白した言葉が思いだされる。これに対して出光翁は「神風特攻隊の若者は純粋に国のために命を捧げました」と答えている。両雄の会見をお膳立てし、このときの会話を通訳したのは他ならぬ私だった。もっとも、後年、作家の百田尚樹氏がさすがに炯眼鋭く『海賊とよばれた男』で取りあげてくださるまで、この至上の対話は世間から忘れられたままとなっていたが。

特攻は、日本文化の核心として、ついこの間まで、同じフランスでも、これほどまで

に高く仰がれていたのだ。それがわずか二十数年の間に、ル・モンド流「瀆」の字が大手を振って横行するまでに情況一変してしまった。

さすがに、良識あるフランス人の中には「カミカゼ」罵倒のル・モンド紙の記事に対して抗議の声を挙げた人もあったと、のちに聞かされたが。しかし、私のル・モンド紙への抗議状に対し、かつて「眠れる森の美女、日本よ、目を醒ませ」とまで書いた『日本待望論』の著者、オリヴィエ君あたりはどうかと見守ったが、これまた粛として反応の声は聞こえてこなかった。いったい、日本の友《アミ》と称する人たちは、どこへ行ってしまったのか。

恋愛とは美しき誤解であると云ったラディゲの言葉まで、そぞろ思いだされてきた。人も、国も、同じようなものなのか。

疑えば切りがない。俺は文化でこの国に惚れたのだから政治で袂を分かつのは莫迦げている――そうは思いつつも、帰国便の機中で、心中穏やかではなかった。

右手に剣、左手に百合

こうして私はリターン・マッチに臨んだ。

「右手に剣、左手にコーラン」ではないが、最後のフランス生活に入って、パリ十四区のアパルトマンに腰を落ちつけるや、仕事机の前の壁の両側に日本から持参した二つの宝物を恭しく掲げた。

右手に、「不撓不屈」と書かれた色紙。

左手に、一輪挿しの百合の花を描いた素朴な絵。

色紙は、日本を発つにあたって、わが尊敬おくあたわざる「ルバング島」の勇士、小野田少尉殿に請うて揮毫していただいたもので、「平成十三年四月吉日　竹本忠雄殿　小野田寛郎」と為書《ためがき》されている。百合の花の絵のほうは、「六梅　正田美智子」との署名。日本会議事務総長の椛島有三氏から、はなむけとして贈られた。

かけがえのないこの二点を旗指物のように見立てるところに、勢いこんだ当時の自分の姿勢が表れていた。

旗指物などと、大仰な——と、いまの自分は苦笑する。しかし、三十歳で初めてパリ入りしたときからざっと四十年、その間に、この国に臨む自分の姿勢はこんなにも変化してしまっていたのだ。

太平洋上の孤島で二十九年間、単独抗争し抜いた帝国陸軍軍人小野田寛郎少尉は、文化防衛戦と気負ってパリでリターンマッチに臨んだつもりの自分にとって、又となき頼

もしい守護神であった。

しかしまた、戦いのみの戦いはないということをも、もちろん私は知らないではなかった。飽くまでも俺は一個の文人だ。そもそも人生の振り出しで、「フランスに大和魂を秘託されよ」と来日して檄を飛ばしたマルローに感じたことから、「あなぐら」から這い出て、この国との深い関係に入った。「歴史戦」で論戦する以上は勝たねばならないが、完膚なきまでに相手をやっつけたからとて、そこから和解が生ずるとは考えられない。肝心なことは、あのとき満堂を感動させたド・ゴール特使マルローの秘託に応えることだ。だが、どのようにか――。

こう自問したとき、私の胸には、哲学者ジャン・ギトンをして感激せしめた皇后美智子さまの「解決は一番高いところから来なければなりません」とのお言葉が生き生きと甦ってきたのだった。

祖国での五年間にわたる憂国活動は、日本にこの方ありとの発見を私にもたらしてくれた。

天皇に対しては、西洋人は偏見を脱しきれずにいる。しかし、天皇のかたわらに民間から嫁したこのようなお后があり、その方は国民から斉しく国母とまで慕われ、しかも類い稀な女流詩人《ポエテス》でもあると知ったならば、芸術を愛するここの国びとは、オルフェの

竪琴に草木もなびいたように、卑俗な反日の弊風を少しでも改めるのではなかろうか——。

ここに、ひそかな我が願い、そして賭けはあった。

御歌集『瀬音』一巻をたずさえて、最後にパリに旅装を解いたとき、わが心境はざっとこのようであった。時に二〇〇二年九月十九日、馬齢七十歳と二ヶ月の時だった。

当初、自分の念頭にあったのは、フランス人好みの伝記の形式で、運命に選ばれたこの比類なき日本女性の人生を書かせていただきたいということだった。そのために、諸資料にもとづいて、まず、克明な年譜を制作することから始めた。(図解と年譜製作は、ほとんどマニアックなまでの私の個人的趣味である)。しかし、いかなる正田美智子伝も、御歌そのものの魅力に如《し》かずと気づくのに長い時間はかからなかった。原詩で私が動かされたような感動は、フランス語になっても失われないのみならず、逆に未知の旋律と美をもたらしてくれるのではなかろうか。のちに訳書が出版されて実際に讃美の声が広がったとき、わが思い誤たざりきとひそかに私は胸をふるわせることとなる。

ここから、『瀬音』を中心に全五十三首をお選びし、原著者にお伺いを立てた。何らかのご意向が伺えるかと期待したが、ご異議なしとのことだった。ご希望はおありかも

しれない。しかし、それを云い表されないところがお人柄であろうかと拝察された。かねてお近づきを得ていた渡邉允侍従長が間に立ってくださり、侍従長には以後、出版までの四年間、筆舌に尽くしがたいご高庇にあずかることとなる。

翻訳協力は、躊躇なく、オリヴィエ君に依頼した。歴史は歴史、文学は文学である。作業は、サントノレ街の彼の家に文人三、四名が寄って拙訳を吟味することから始まった。フランス文化放送のカリスマ的軍団長、イヴ・ジェギュ氏も、その一人だった。出版社は偶然に定まった。アニエスという旧知の一女性が、ある日、拙宅を訪ねてきた折に、御歌の試訳を朗読して聞かせたところ、たいへんな感激ぶりで、ぜひ弊社で出版させていただきたいとその場で申し出てきたのだ。シグナトゥラ社というささやかな出版社を彼女は起こしていた。翻訳作業場は、オリヴィエ邸から、やがてポンピドー・センター近くの彼女の社屋に移った。ここから、オリヴィエ―アニエス―タダオのトリオ翻訳陣が生まれ、この友情的結束は最後まで変わることがなかった。

アニエスと日本の絆は、やがて切っても切れないものとなっていった。何より、皇后さまからご信頼を得たことが大きい。皇居にも招かれ、交流が生じて今日に至っている。それまで、アニエスと私の縁は、夫君のジャン＝マルク君を通じての間接的なものに

すぎなかった。ジャン゠マルク・タピエは、本手記の「五月革命」（第二巻 第三章）のところでちょっと顔を出している。戦後美術の革新者として名高い批評家ミシェル・タピエ氏の長男で、アニエスと結婚して、当初、ヌイイの彼女の豪邸に入り婿のような形で暮らしていた。その豪邸で、彼とのつながりから、かつて私は一夕の日本文化祭を開かせてもらったことがあった。素人ながら日本の一青年が豪華な衣装を纏って歌舞伎の八重垣姫を舞ったり、私自身が奇態な錬金術絵画の映像を見せて講演を行ったりで、凝った趣向の一夜だったが、皓々とシャンデリアの輝く宴席のホールからふと見上げると、優雅な階段の上に、産着にくるんだ嬰児を抱いて立つ若い女性の姿を見かけた。それが初めてアニエスを見た瞬間だった。

歳をとるほどに私は、結果は初めに書かれていたと信ずる一種の本体論者となっていったが、あの瞬間がまさにそれだった。高い階段の上に、嬰児を抱いて立ったうら若い女性の姿は、ちょっとした聖母子像のように輝いて映ったのだ。そして、ひとり、広い階段を下りて目の前に立った彼女を見て、美しいというより――じゅうぶん彼女は美しかったが――その内側から発散するオーラに打たれた。このように無垢の笑いを広げ、生きる喜びをいっぱいに表した顔は、見たことがないようにさえ感じた。あの第一印象に、あれから四十年あまりも経ち、今年――二〇一九年――齢七十を数えるに至った彼

女の全人格が集約して表されていたようにさえ思いだされてくる。

人柄といえば、アニエスの夫、ジャン＝マルク君も、きわめて純粋かつ寛大な人物だった。血は争われないというべきか、彼は、中世、十字軍に加わった歴史的名家、トゥールーズ家の末裔である。父のミシェル・タピエ氏は、戦後美術を革新した有名な批評家で、ムーラン・ルージュの画家、トゥールーズ・ロートレックと従兄弟関係にあった。アニエスはジャン＝マルクとの結婚によって貴族号を受け継ぎ、正名アニエス・タピエ・ド・セレーランと名乗るに至った。

アニエス自身も立派な芸術的家系の出である。父ジョルジュ氏は生物学者で医師だが、その父オーギュスト・クローは印象派画家たちの唯一最高の版画工房を経営し、とりわけルノワールの信頼が篤かった。母は十九世紀に設立された音楽出版社ジョベールの社主だった。同社はドビュッシーの全楽譜の出版権を持っていた。アニエスの両親とも私は近づきになった。父親のジョルジュ氏は、積極的に『セオト』翻訳を手助けしてくれた。しかし、アニエス自身の述懐によると、一族の中で彼女が最も影響を受けたのは祖母からだったということで、それはまた、アニエスの性質を知るほどに自ずと私にも信じられるようになった。祖母は、第一次大戦中、第一線の戦場で従軍看護婦長として活躍して最高の軍功章とモロッコ勲章を授与され、のちに赤十字社総裁をもつとめた女丈

夫だったとのことで、アニエス自身の並外れた情熱と行動性、正義感といった美質の中に、そうした血筋からの資質はたっぷりと受け継がれているようにみえたのである。

一口でいえば、心願の人、であろうか。アニエス・タピエ・ド・セレーランは、フランス人には珍しく、理性《レゾン》よりハートを重んずるタイプである。結婚にあたって、男の子を三人産むと誓って、そのとおりになった。長男のトリスタンは、目下フランスの音楽界を仕切るプロデューサー、次男はプロ・ゴルファー、三男は腕ききのＩＴ技術者となって、それぞれ第一線で活躍している。

三人の男の子が暖炉の前に坐って、まるで可愛い天使が並んだようだったころから私は見知っていた。長男のトリスタンの子供たちとも会っているから、タピエ一家とは四代にわたっての古なじみということになる。しかし、アニエスの出版社――シグナトゥラ社――に白羽の矢を立てたのは、こうした個人的つながりの上からだけではなかった。同社は、アニエスの夫君の経営する稀覯本《きこうぼん》復刻専門のアルマ・アルティス社から独立した小社ながら、ピエール・ゴルドンという傑出した古代宗教祭祀学者の著作集を一手に引き受けて刊行していたからだ。ゴルドンは、ある著書の中で、戦後日本の歴史家たちが神話を歴史から切り離して得々たるさまを嘲笑している。それとは正反対のポジションを断乎表明し、「大嘗祭が天皇をつくる」と云い切ったところに私は瞠目して

いた。戦後日本の歴史家たちの主張する、神話は歴史の投影であり天皇制の権威づけにすぎないといった見解に対して、ゴルドンは、そんな考えは幼稚だと、ばっさり切り捨てていた。著名な文化人類学者、レヴィ＝ストロースが、その日本論『月の裏側』で、記紀の神話・歴史連続性を称揚するよりも以前に、である。

美智子さまの御歌仏訳集は、従って、出るべくしてシグナトゥラ社から出たといえるであろう。先に、偶然にと書いたが、偶然というも必然というも、結局は同じということの一例である。

王宮広場の対決

百合と剣と——。

その図柄を旗指物に仕立てんばかりの勢いで、私の孤独な文化防衛戦は進んでいった。ところで、御歌翻訳の共同作業を着々と進めながらも、私には、オリヴィエ君のことがどこか気がかりだった。先に日本で『日本待望論』を出版して大当りを取ったのに、いつまでたってもそのフランス語版を出そうとしないのはなぜかと訝《いぶか》っていた。ところが、ある日、サントノレ街の彼の家で、「あれはまずかったよ」とぽつりと洩らすの

を聞いた。どこが「まずい」というのか、間もなくそれは明かとなった。

書きあげたから見てくれと云って渡された原稿を一読して、私はこの目を疑った。これが同じ『日本待望論』の著者なのだろうか。

偏向日本観そのものと云ってさしつかえあるまい。不審な点を数えると、全部で四十ヶ所ほどもあった。あらかじめ原稿を見せてくれた信頼は多とするが、暗澹たる気分になった。感想を聞きたいというので、拙宅に招じた。

その拙宅というのは、運命のいたずらで、パリ十四区の「アレジア」地区にあった。カエサルの大軍とガリアの大軍が天下分け目の合戦を展開したブルターニュ州のアレジアの名を取っている。あのアレジアの原頭にオリヴィエが私を案内してくれてから四年になる。私とフランスの深いつながりは、先にも触れたとおり、パリを南北に貫く垂直線上につねに住まいするという偶然にも顕れていた。最初に住んだパリ八区のレニングラード街が北端で、そこから、時折泊めてもらったオリヴィエ邸のサントノレ街を通って、終《つい》の住まいのアレジア地区に至るまで。かつては、さらにそこからオルレアン門を出て、オルレアン街道を南下し、ヴェリエールの里のマルロー邸に至るまで、しげしげと通いつめたものだった。この南北縦断線が謂わば我が運命線——吉兆の——だったと、いまにして思い返されてくる。そこを離れるべきではなかったとの晦恨とともに——。

このアレジア地区のアパルトマンに、オリヴィエを呼び寄せる成りゆきとはなった。託された原稿に付箋を貼った四十ヶ所ほどの問題点を、私は一々指摘した。

眉根に皺を寄せて、相手は答えない。

そこで私は、さもありなんと予期して用意しておいたチャートを取りだした。前述のごとき伝家の宝刀である。日本ではこれを持ち回って、さんざん辻説法のようなことをやってきた。「南京玉すだれ」などとからかわれたこともある。畳一場敷ぐらいはあるこの大図面をサロンの丸テーブルに広げようとしたが、収まらないので、床に繰り広げた。その前にオリヴィエを立たせ、「そもそも反日謀略戦は一九二〇年代にソ連から毛沢東の中国に受け継がれたもので……」と弁じはじめたが、相手はまったく馬耳東風の体。そこで、概論は飛ばして、本題に入った。

いちばん頭に来ている原稿の一点を指さした。

「君は、広島の原爆は天罰（ピュニシオン）だと書いているね」

彼は頷いた。

「だとしたら」と私はじっと相手の目を視つめて云った。「僕がそこで殺されたとしたら、君は、タダオのやつは天罰で死んだと喜ぶのかね」

こう聞くや彼は慌てて、「済まん、済まん」と云った。「それは撤回するよ」

そのあと、別のある一点についても、削除を約した。

しかし、その他の歴史的誤認や偏見については、一つずつこちらが指摘するのを聞き流して、頑として応じなかった。

何かが、ぷつんと、私の中で音を立てて切れた。


そうか、そうだったのか……

半世紀来の盟友とはいえ、結局のところ、彼は、旧戦勝国側の歴史観――われわれのいう東京裁判史観――から一歩も出ていなかったんだな。とすると、いままでの交流はいったい何だったんだろう。

そこで数日後の再会を約した。場所は、パレ・ロワイヤル（王宮広場）のヴォージュ庭園。まるで決闘にでも臨む心境だなと、内心苦笑しながら、午後三時の約束の場に向かった。

ルーヴル美術館とリヴォリ通りを挟んで接し、十七世紀に宰相リシュリューが建て、ド・ゴール政権下にはマルローが文化大臣として君臨した殿堂の前に、この優雅な庭園は広がっている。宮殿の位置する「ヴァロワ街三番地」は、私にとっては忘れられないアドレスだ。この番地の封筒で、政府主催の公式文化行事にいつも招待状が舞いこんだ。

そんな想い出に浸りながら宮殿前に来ると、「百柱の間」の粋なテラスが静まりかえっている。右側の二階のバルコニーの内側にマルローの大臣室はあった。時には、その真下の空間に、マルローの文化政策に反対するサルトル一派の左翼が座りこみデモをかけたことがあった。徒党の中にマルローの実の娘、フロランスも混じっていたらしい。

大臣室を、朝日新聞社の企画顧問、衣奈多喜男《えなたきお》氏が訪ねたときのエピソードも思いだされた。「ミロのヴィーナス」貸し出しの重要案件を纏めるためだった。天下の名品を「極東」くんだりにまで送るというので、轟々たるスキャンダルとなり、パリ中のキオスクに、破壊されたヴィーナス像が泣いているポスターがひるがえった。悠々たる風格の衣奈氏は、よほどマルローに気に入られていたのであろう。「フランス中が貸し出しに猛反対ですが」と切り出すと、文化相は氏の膝をぽんと叩いて笑った。「だいじょうぶ、最後に決定を下すのは大臣《ミニーストル》なんだから！」

だがこの「決定」が暴挙と云われていたのだった。

のちに私は衣奈氏自身の口から、あれほどの世界的名品というのに保険料も只だったということを聞かされた。値がつけられないほどの名品ゆえに、貸料、保険料ともに無償だった。万一壊れたら「大修繕費」だけ払えばよかったというのである。

それほどまでに、いわば、日本は惚れられていたのだ。武士道の日本を断固擁護し

てくれた、この偉人あればこそ、日本は何があろうと文化交流の上座に置かれて動かなかったのだ。そのマルローを名誉総裁とするド・ゴール研究所の初代代表をつとめ、反「五月革命」のヒーローだった盟友オリヴィエ・ジェルマントマと対決すべく、いま、俺は、ここを急いでいる。何という運命のいたずらか。

「百柱の間」のテラスを通り抜け、広壮な庭園の中に入る。二列の並木の間をゆっくりと歩いていくと、向こうに、初夏の空に飛沫を吹きあげる噴水が見えた。その周りを縁取る薔薇園のかたわらまで来ると、左手のコメディー・フランセーズ劇場の側から入ってきたオリヴィエと、ぱったり出喰わした。

近くのベンチに並んで腰を下ろす。

こう私から口火を切った。

「君の原稿を読んで僕は驚いたよ」

オリヴィエは黙っていた。

「君は日本人の残虐性ということを大いに問題にしているね」と私は続けた。「もっとも、これが初めてじゃないが……」

初めてノルマンディーの別荘に呼んでくれたときに不意に云われた言葉を、私は忘れたことがなかった。「日本人は残酷だと云われているが」と。あのときは二の句がつげ

ず、黙るほかなかったが。私はこう続けた。

「フランス語を勉強しはじめたとき、僕は、《ペリクー》という形容詞の意味が分からなくて、ラルース小辞典を引いたことがあった。ところが、《戦争好き》という説明のあとに、たった一つ添えられていた用例が《日本人は戦争好き》というんで、びっくりしたね。君の原稿を読んで、そのことを思い出したよ。何か日本人についてフランス人は思い違いをしているんじゃないかね」

こう聞いてオリヴィエは初めて重々しく口を開いた。

「だって、そうじゃないかね。日本軍が仏印に攻略してきたとき、日本兵はフランス兵を捕えて檻に入れたんだ。檻に、だぞ！」

「檻（カージュ）」という言葉に異常な力をこめて彼は云った。よくよくの怨念が感じられた。そうか、こんな情念が未だにくすぶっていたのか。しかし、そう云われても、こっちには確証がない。内心、フランスが植民地でやったことはどうなんだと云おうとしたが、口をつぐんだ。

沈黙を怯《ひる》んだと見たのか、オリヴィエは突っこんできた。

「武士道があるのに、なぜ君たちは残虐行為をやったんだ？」

出た、ついに本音が！

そうか、そういう論拠《アルギュマン》があったんだな。

「武士道があるからわれわれはやらなかったんだよ！」

きっぱりと私は応じた。そして続けた。

「どういう出来事を踏まえて云っているのか知らないが、残虐行為のシステム化は我が方にはなかったんだよ。そもそもガス室と原爆を作ったのは西洋じゃないかね」

「それはそうだ」

と相手は怯《ひる》んだ。

この原爆投下を彼は「天罰」と云っている。原稿のその箇所を読みながら私は、かつてパリのユネスコ本部で原爆展を催したさいに、「あんなの、デマゴギー（煽動）だ」とオリヴィエに云われたことを思いだしていた。いまや、その意味は明らかとなった……

「しかし日本は」と、一拍置いて彼は切り返してきた。「ガス室を作ったヒトラーと手を結んだじゃないか。ヒロヒトは……」

「責任がある」と云いたいのだろうと私は察して、遮った。「そのヒロヒト（昭和天皇）は、日独協定が結ばれたことで実は激怒したんだよ。松岡外相について、彼はヒトラーから買収されたんじゃないのかとまで仰っている」

悲しいかな、オリヴィエは、東京裁判史観から一歩も踏み出していないんだと確認し

た。もともとそうだったのか、それともある時期から変ってしまったのか。数年前、来日したときは、靖国神社でも知覧の特攻記念館でも、あのように感動を露わにしていたっけが……

虚しさが胸いっぱいに広がる思いで、それ以上会話は続けられなくなった。

友情と歴史という新しい命題がここから私に与えられた。対立する歴史認識を持ちながらなおかつ親友ということはありうるのだろうか――。

この問題は私の心に深刻な傷跡を残し、その後、今日に至るまで消えていない。おそらくそれはオリヴィエにとっても同様であろう。

われわれが「反日」と呼ぶ人々には二種類あるといえよう。一つは、根っからの確信的思想犯ともいうべき種族であり、もう一つは、中国発のニセ情報によって攪乱された人々である。

いやもう一種類あろう。フランスの場合、「歴史修正主義者」と見なされれば刑罰の対象となり、社会的にパージされる憂目を見るという現実である。当初、私はその内実を知らなかったが、のちに気づいて一概に彼らの無理解を咎められないと思うようになった。このことは我が「リターン・マッチ」の最大の収穫（?）だったかもしれない。

ある意味で、敗戦国日本と比べて戦勝国フランスのほうが自由がないということにもなる。いっそ彼らを憐《あわれ》む心境にさえなった。

「死は放射能として生きつづける」

オリヴィエとの対立は一つの啓示だった。ひるがえって、こうも考えた。歴史が積年の友情をさえ引き裂くようなものであるならば、そんな歴史はクソ喰らえだ、と。むしろ驚くべきは、彼ほどの知識人が「東京裁判史観」をもって日本を見る見かたを一歩も脱しきれずにいる反面、にもかかわらず、あるいはそれゆえにこそ、歴史とかかわりないところで日本との契りを深めようとしているという事実だった。

そして考えてみれば、第二次大戦後の西洋の文化概念全体が、歴史不信というか、旧来の「伝統」をさえ越えて根源帰一的な方向へ動いてきているのだった。反日に同調しつつも美智子さまの御歌翻訳に協力してくれるオリヴィエの姿勢は一見矛盾ともみえるが、逆に彼の立場からすればそれがまっ、と、うということになるのかもしれない。九十何歳かの母親を失ったその日の午後にさえ、われわれトリオの翻訳陣の会合に出てきた彼の姿には、舌戦以上の真実味があるように感じられたのだった。

オリヴィエの母堂の亡くなる日の未明、こんな夢を見た。一度たりとピアノに触れたこともない私が、その夢では長々と即興的に弾いているのだった。そしてその間中、聖堂の中にでもいるように至福の感情に浸っていた。夜が明けると訃報が届いた。さてはあれは御霊の昇天だったかと悟るとともに、なぜそのような予知夢を見たのか理由が分かるような気がした。あるとき、サントノレ街のオリヴィエ邸で、母堂が二人の孫娘と一緒にいて、まるで聖母子像のような至福に満たされている姿に感じ入ったことがあったからである。

ずっと以前、私には同類の予知夢の体験があった。あれは、私が留学生活から帰国して、人生で一度だけ、短い家庭生活を営んだころのことだった。若き日に京都妙心寺の禅堂で知り合いになった一女性――久松門下では私よりずっと先輩の――が品川の御殿山の拙宅を訪ねてきて泊めたことがあった。すると、翌朝、未明に電話が掛かってきた。その女性が後妻として嫁していた妙心寺霊雲院の木村静雄老師からで、彼女と私にとっての共通の恩師、久松真一先生が帰寂されたとの知らせだった。ところで、その訃報を受けたとき、私は一場の霊夢を見ていたのである。

それは実に印象的な光景だった。髪の毛を肩まで長く垂らした神々しい男たちが一列に並んで讃美歌のごときコーラスを斉唱しているのだ。訃報に接して、あゝ久松先生は

涅槃《ねはん》に入られたのだなと悟った。そのとき、電光のごとく、かつて先師から云われた言葉が甦ってきたのである。

それは、忘れもしないあの一九七四年、パリから一本釣りにされて帰国し、逆落としの運命をたどりつつあったときのこと、まだそのような目に遭うとも知らずに、岐阜の長良に隠栖中の久松老師をお訪ねした。米寿を迎えられた老師に祝詞を申し述べると、長い白鬚に、多くの弟子を魅了した美しい笑みを浮かべてこう答えられたのであった。

「私は欲が深いので、米寿などに満足していません」

不肖の弟子が理解できずにいると、さらにこう云われた。

「無量寿を望んでいるのです」

長髪の合唱団の夢は、さては老師がこの無量寿を得られたことの証だったに相違ない。

オリヴィエの母御の逝去の朝も、透明な光の中で、作曲も演奏もできない自分が長々と讃美歌のような曲を弾きつづけていた……

このことの重みが、ずっしりと私の中に問いかけてきたのだ――「歴史戦」、いや、歴史そのものより、この一場の夢のほうがずっと重要なのではなかろうか、と。

こちらが剣で身構えれば、相手も剣で応ずるまでだ。人生には、避けては通れない決

闘の時がある。が、ひっきょう、それは、鏡に映すように相対的関係にすぎない。まもなく私はこのことを決定的に学ぼうとしていた。

＊

オリヴィエと論争した年（二〇〇四年）の秋十月、ル・モンド紙国際版は「中華人民共和国五十五周年記念」と銘打って、「南京大虐殺」特集記事を大々的に組んだ。お手のもののニセ写真入りで。もっとも、そのことを別の友人から知らされて私が知ったのは、だいぶ後のことだったが。重ね重ねのあくどさに、今度ばかりは絶対に許せない剣が峯と感じて、同紙の会長ジャン＝マリー・コロンバニあてに長文の抗議文を草した。コロンバニは、永久革命を唱える筋金入りのトロツキストとして知られている。

雨の中を、抗議文を手に、パリ第三区のオーギュスト・ブランキ大通りのル・モンド社の社屋まで出向いた。最後のフランス生活復帰にあたって日本から同行してくれた竹馬の友、瀧澤和子が一緒だった。これまで詳しく触れる暇がなかったが、彼女は私と同じ東京深川の八名川《やながわ》国民学校の同級生で、共に「三月九日」下町大空襲の生き残りである。しかも互いに清澄庭園の池畔に逃れて九死に一生を得た間柄と、半世紀ぶりに再

会したことで知った。そこに運命を感じて老いらくの道行きとはなった。戦時下、「戦う小国民」と云われて艱苦《かんく》に耐えた共通体験が、男女の愛より深い絆の元となっていた。

メトロを降り、傘を並べて、かなりの強い雨足の下をル・モンド社へと急いだ。いま思えば、そこには、共に死線をこえた身の、何か必死の思いといったものが滲みでていたような気がする。

あのとき、七十歳の翁《おきな》と媼《おうな》は、たしかに現地「歴史戦」の先陣に立っていたのであろう。私は、練りに練った抗議文を、果し状のように懐中していた。出来ればコロンバニ会長と会って、これを突きつけるつもりであった。ところが、ル・モンド社に着いてみると、まさにそこは牙城という言葉がぴったりの堅牢ぶりで、とても入れたものではなかった。一般入口は刑務所のそれのように狭く、憲兵のごとき守衛に書状を手渡すのが精一杯だった。

しかし、こうした意気込みは、何となく伝わるものらしい。公開状として公表を迫ったこちらの要請は結局のところ無視され、抗議状は握りつぶされたのであったが、捨てる神あれば拾う神ありで、代って、別のある友人を介して、右派の「ラジオ・クールトワジー」が訴えを取りあげてくれた。中でも辣腕として知られたキャスターのマリアラキス氏がマイクに向かってこう讃辞を呈してくれたのだ――

「聞いたかね、諸君、フランス人は、こういう場合、ポストに投函して事足れりとしているが、ムッシュー・タケモトは自ら足を運んで敵方に公開状を届けたんですぞ。こういう場合には、いくら慣例を重んじても重んじすぎるということはない。伝統の国、日本の人なればこそ、それが出来たのです」

いかにも、公開状は没にされたが、敏腕キャスターが私を全国放送のマイクの前で、九〇分間もの生放送に当ててくれたことは大きな収穫だった。その内容は、その後、日本政策研究センターから『アンチ・ヤマトイズムを止めよ！』という小冊子として発刊したことなので、ここでは反復を差し控えるが、公開状の全文をキャスターが代って朗読してくれるという熱の入れようだった。

私はそこで、諸外国での反日の実態は明瞭な人種差別であるとして、前述のごとく、これを「アンチ・ヤマトイズム」という名称で呼んだ。「アンチ・セミチズム」（反ユダヤ主義）になぞらえて工夫した造語である。明敏にもマリアラキス氏はこれに留意して、「フランス語の語彙を豊かにしてくれる素晴らしい呼称」だと激賞してくれた。

放送中、私は、いうところの「南京大虐殺」が如何に「外人証人」を使った巧妙なトリックであるかを説明し、日本の歴史家たちは中国人が「皇軍の残虐」の証拠として挙

げる三万点あまりの写真がことごとく捏造であることを暴露したと述べた。東中野修道教授の偉業を念頭に置いたものであることは云うまでもない。

「日本軍は《人道に対する罪》など犯していない。ここがニュールンベルグ裁判との根本的相違です」と断言すると、マリアラキスは「そうだ！」と力強く応じた。

フィリップ・ポンスがル・モンド紙に書いた、あの特攻冒瀆論をも取りあげて、こう突っこんだ。

「私は、この記事を読んだときに、アンチ・ヤマトイズムの本質がかつてなくよく分かりましたよ。それは、あらゆる機会をとらえて、日本の最も美しい、崇高なるものを瀆《けが》す、ということです。すなわち、《デサクラリザシオン＝瀆聖《とくせい》》にほかなりませんっ！」

キャスターは即座にこう応じた。

「日本のカ、カ、カミカゼは、従って、テロリズムとは全く無関係なんですぞ。だからこそ、マルローも絶賛したのです。マルローは、日本で昭和天皇とお会いしたときに感動的な言葉を述べていますね――《日本は、去る大戦で敗れたりといえども素晴らしいものを一つ世界に遺してくれました。陛下、それは、カミカゼ（特攻）であります》とね」

私は、この一言を伝えてくれただけでも、この放送には大いに感謝しなければと思った。放送の途中からスタジオには受信者からじゃんじゃんと電話が掛かり、それは通常の二倍に達したという。その多くは称讃と感謝だった。「初めて日本の魂が堂々と語られたことを喜ぶ」、あるいは、「ある時から急に日本軍の残虐とか云われだしたので、おかしいと思ったが、この放送でそれがウソと分かった」といった具合に。

ラジオ・クールトワジーからの放送は、我が防人の賦《ふ》の頂点をなすものであった。日本を正視する目もある。ついにその鉱脈を掘りあてたと思った。

しかし、他方、味方と信じてきた人々の沈黙が気になった。公開状のコピーを何人かの知友あてに送ったが、粛として、どこからも応答がなかった。メディア界革新の長老イヴ・ジェギュ氏――「コルドバからツクバへ」の竿頭に立った賢人――からも、オリヴィエからも、どこからも。

　知日親日家と信じてきた友人たちの沈黙と、放送を聞いて熱い反応を示してくれた未知の人々の間に、深い川が流れているらしい。暗澹たる思いにさせられたが、そんな自分はまだまだ無知だったのだ。われわれと彼らの間に走っている亀裂よりも、ここの国びと同士の間に走っている亀裂の深刻のほうが、ずっと深刻なのだ。ヨーロッパは、す

でにいったん「自殺」*した文明であったのだから。私が挺身した文化防衛戦は、この亀裂の深さを知らずして遂行することは不可能な話であった。

＊ヨーロッパの自殺——拙著『天皇霊性の時代』一三三頁参照。

ところで、精神の反応というものは、必ずしも期待したところに起こらず、期待しなかったところに起こることがままあるものだ。前記放送の最後に「ミシマ」の名を挙げたときがそうだった。ほとんどこれは魔術的効果をもたらした。キャスターのマリアラキス自身が、興奮を示した。そこから、のちに、ノートルダム大聖堂を舞台とした只ならぬ反応——事件——へ発展していこうとは思いもよらぬことだった。

きっかけは、マリアラキスが私の発言を聞いて、「正直云って日本人はもっとずっと物質主義的だと思ってきたが、名誉の規範《コード》を守るということが分かった」と述懐したことにあった。「名誉のコード」とは、騎士道、ということであろう。こう聞いて私は三島の名を挙げたのだが、これが必殺業となった。

その蔭で吾妹子《わぎもこ》が活躍してくれたことに一言ふれておくべきかと思う。瀧澤和子が一時帰国する機会に私は一つのミッションを彼女に託したのだが、それが効を奏した。ミッションとは、「ある人物に会って秘密の一言を確かめてこよ」——というものだった。

この人物とは、三島由紀夫の体験入隊した富士山麓の自衛隊駐屯地でゲリラ活動の指導にあたった細波久郎中隊長その人だった。細波中隊長は、大いに三島と意気投合し、そこから生まれた両氏の会話の記録に私はすっかり感動させられていたので、是非ともそれを確認したかったのだ。言い忘れたが、瀧澤和子は、かつては苗字帯刀を許された新潟の庄屋の血を引いた女丈夫で、その片鱗はこんなことにも表れていた。戦火で生き別れになったあと、半世紀ぶりでわれわれは再会したのだが、一目で彼女は私の性向を見てとったものか、こちらのまったくあずかり知らざる間に、ある行動を取っていたのである。テレビで見たという柏市在住の人間国宝の刀匠を訪ね、脇差《わきざし》の制作を注文したというのだ。刀匠は、一旦は引き受けたものの、再訪すると断られたという。だいぶのちになって、私はこのことを彼女から聞かされ、驚いた。もしその脇差をプレゼントされていたら、我が人生の最期は変わっていたかもしれない。

しかし、当時はそんなこととはつゆ知らず、「細波中隊長に会ってきてくれ」と気楽に頼んだ。瀧澤和子は勇んで千葉県の某市に住む同氏に会いに行き、結果を伝えてくれた。その報告を聞いて私は大いに感激した。細波久郎氏は、そもそも『葉隠』の里、佐賀の出身とのことで、ある日、三島隊員に向かって、こう云ったという。「先生のご本では作中人物はみんな死んでしまいますね。しかし、葉隠の心とは、たとえ手足をもが

れても、口で嚙みついてでも目的を遂げようとする根性をいうのではありませんか」

　すると、相手は静かにこう答えたという。

「それでも、死は、放射能のように残って、働きつづけるのです」


　瀧澤和子の口をとおしてこの言葉を聞き出したとき、私は、これだ！と思った。そしてラジオ・クールトワジーのマイクの前でそれを引用したのである。

　と、相手は、まさしく感電した。「放射能」という言葉を、本当は「イラディエーション」と云えばよかったのだが、すぐには思い出せなかったので、取りあえず「ラジオアクティヴィティ」と云ったのだが、マリアラキスは即座にこう応じた。

「おゝ、ラジオアクティヴィティ！　たしかにそれが消えるまでには非常に長い年月が掛かる……。ムッシュー・タケモト、素晴らしいメタファです……　世間はやたらと、ヴィクティモロジー（犠牲者論理）を振りかざすが、これに対して私共は今回、ぜんぜん別箇の新概念に初めて触れることができた。ラジオアクティヴィティ――実にはっきりした、美しいイメージです！」

　九〇分もの長丁場の放送で、私はマリアラキスの口をかりて抗議文をも読みあげ、敵

方の「反日」に対して論駁《ろんばく》し、滔々と歴史の真相を語ったつもりだった。その効果もたしかにあったであろう。が、それにもまして、ほんのひとこと、エピソード的に口にした「放射能」が引き起こした反応がかくも切実だったことに考えこまされずにいなかった。

これはどういうことであろう。

三島イズム――行為《かい》の裏付けあってこそ「日本」がモノをいう瞬間があるということだ。その一つの証左が示されようとしていた。

日本文化人宣言

遅くとも二十一世紀初頭、平成時代の中期に、日本の政治・外交が世界的反日運動に対してもっと真剣に対応していたならばと悔やまれる。

令和元年と切り替った二〇一九年八月の現在――ラジオ・クールトワジー出演から十五年経った――日韓の間で「慰安婦」問題に端を発し、「徴用工」問題、さらには輸出管理上の韓国優遇措置外《はず》しなどの連鎖的問題で際限のない軋轢《あつれき》増大を見るにつけ、隣国の非論理的横暴と反比例した我政治の対応の生ぬるさがいよいよ悲惨に露呈してきたかと慨嘆せざるをえない。ここまで来て、ようやく安倍政権によって初めて明確にノー

が示されたところである。

「外務省の上品な反応」といった表現を、最近、目にした。

こう云ったのは、自身、官僚あがりのある女性論評家であるから、多少の遠慮もあっての婉曲表現かもしれない。実際には幾つもの要因が重なり合っての対応の鈍さなのであろうが、日本的メンタリティなるものも根底において無視しえない。かつて私は、パリ留学中に出遭った美術家の河北倫明氏から、「日本人の特性を絵に譬えると、雪の下の竹の姿です」と云われたことがあったが、これは至言である。「どんなに重みがかかろうと、竹は撓《しな》うだけ撓って」と、河北氏は右手をそらせながら云ったものである。「容易に弾ね返しません」と。御殿場滞在中に私は、ある日、大雪のあと、竹林で、何本かの竹が雪に埋もれて地面すれすれに撓って、それでも折れずに横たわっている姿を見て、つくづくとこの言葉を思いだした。雪中撓竹《にょうちく》図とでも呼びたいスタイルは——そんな言葉があるかどうか知らないが——たしかに大抵の日本人がみな共有していることであって、自分自身も例外でないどころか、つくづくその代表格の一人だと、繰りかえし反省させられてきた。これには美点もあれば欠点もある。災害の折に日本人が嘆かず喚《おめ》かず、じっと耐えている姿は、世界中で賞讃の的となってきたが、たしかに日本人以外ならば即反撥するところ、われわれは耐えるだけ耐えるのである。

堪忍袋の緒が切れるまで。

そしてついには刀の鯉口を切るまで。

でなければ、「松の廊下」で刃傷におよんだ浅野内匠頭《あさのたくみのかみ》に、あれほど国民的共感が示されることはあるまい。

日本を前にしたとき、この即反撥という意味では、イベリア半島から韓半島まで、ユーラシア大陸はみな斉《ひと》し並みである。この意味では日本のほうが異形《いぎょう》の国なのであろう。

こうした国民性が形成されるうえに、聖徳太子の御子、山背大兄王《やましろのおおえのおう》の「偲んで恨まず」という凄まじい捨身飼虎の出来事などが、深く影響してきたであろう。百姓《ひやくせい》を傷《やぶ》るを好まず、逆臣入鹿《いるか》との戦いを避けて斑鳩宮《いかるがのみや》に火を放ち、皇太子初め一族ことごとく絞罠《わなき》して果てたことは、日本の元型を形づくるに十分な古代日本の大事件であった。以来、斑鳩宮炎上の炎は日本人の心から消えさることがない。

マルローは出光翁に「日本人は精神の高貴さを持っています」と述べたが、まさにこれは、この種の積極的受動性の大和心に対する最高の讃辞であった。

しかし、その反面、そこには、三島由紀夫が吐露した「そもそも日本には勝利の原理が欠如しているのではないか」との歎きに見るような、負の側面もあることは否めない。

受動性が無作為となるリスクもまた、多分に包含されているからにほかならない。

このような受動性が、反射的に、合理優先の西洋文明に対する盲信となって顕れてきた。脱亜入欧の明治期の話ではない。いまだってそうなのだ。この西洋文明は民主主義と呼ばれ、国連を始めとする諸機関に制度化されている。国連至上主義の日本は、錦の御旗に弱い。敵はこれを巧妙に最大限に利用してきているのである。

人類、国際、平和といった錦旗を掲げれば、誰もそれに逆らうことはできない。「政治」を「記憶」に擦《す》り代え、これを「歴史」と称する詐術が、ここに成立する。

かくて、「記憶に学べ」、「歴史に学べ」と、南京問題、慰安婦問題で中・韓政府が威丈高に叫べば、日本政府は無反省に謝罪し、無際限に金を差しだす構図が、牢固として定着したのであった。


老軀をひっさげて私がパリにリターンマッチした理由は、もはやこのような詐術に我慢ならないからこそであった。しかし、来てみれば、かつて友人《アミ》と信じた人までが、もはや味方ではない。ル・モンド紙の反日大特集に対して起草した抗議状を旧友に配布したが、どこからも粛として声がない。かろうじて盟友オリヴィエから返ってきた言葉さえ——アニエスを介して間接的に——「われわれにはコンセンサスがある」との一言

だった。

「われわれ」とは旧連合国、戦勝国のことにほかならない。日本の理解者と思ってきたが、最大の友といえども、このパタンを脱しきれずにいるのか——。

これには思わず、ううむと腕組みして唸ってしまった。

しかし、マイナーとはいえ、硬派のラジオ出演でアピールしたことにより、マリアラキスから予告されたとおり、「敵も出来れば味方も出来る」のは当然。少くとも、もはやわれわれは孤立していないのだ。ここからさらに注意深く観察を続けていると、さすが往年の「ヨーロッパの良心」は失われていないことが分かった。「歴史に自由を！」という歴史家集団に代表される運動があると知ったのだ。

彼らと自由日本の運動を結びつけられないであろうかと、閃いた。ここから、日本人として初めてその組織化に着手する一歩手前まで私の戦いは進んでいった。

日本の高い筋からのご理解をも、ある程度得られたといえようか。

剣と百合の活動を進めながら進捗状況を日本のメディアにも伝えるようにつとめていたが、平成十六年に「古希御歳華を寿ぎて皇后陛下に謹み奉る」と題して日本会議の機

関誌『日本の息吹』に発表した拙文は、霊性と歴史のはざまにお立ちになる皇后さまへの衷心からのオマージュであったが、これに対して渡邉侍従長を介して、くれぐれもお礼を申し伝えるようにとの有難いご沙汰を洩れ承ったからである。

渡邉允侍従長ご自身の奮戦ぶりに対して、私のほうからも刮目していた。当時話題となった反日の一つにオーストラリアのジャーナリスト某の著書『プリンセス・マサコ』があったが、雅子妃に対するその余りにもひどい侮辱に対して侍従長は断固たる抗議状を出された。日本の皇室がダイアナ妃のようにハンセン氏病患者への対応を何ら行っていないなどとは無知丸出しであり、天皇の公務が形式的なものにすぎないなどという云い草が如何に妄言にすぎないかを、硫黄島をはじめ両陛下が実際に慰霊の旅を重ねられていることの具体例を挙げて反論し、またロンドン・タイムス紙が社説で、皇后美智子さまのお言葉をねじ曲げて「これは皇太子妃への嫌味である」と書いたことに対しても、「何ら客観的根拠もなくしてかかる曲解を下すとはアンフェアである」と断固反撃を呈された。

これらの応酬について私は侍従長から直接にパリまで資料をお送りいただくとともに、殊にロンドン・タイムスの一件については「貴殿には、皇后陛下のご真意をご理解いただきたいと存じ……」との一言を添状で示され、ご信頼のほどに深く感じ入った次第で

あった。

考えてみれば、自分ごとき草莽の徒が九重の奥からの声を洩れ承るなど、僥倖の極みであったが、これも終わりが最初に書かれていたというべきか、奇妙な出来事が先行していた。

あれは、最初の御歌試訳の十首を仕上げて、一時帰国した折のことだった。あるフランス人写真家の風景写真と詩画集のように組み合わせて皇后さまに献上申しあげたいと思いついた。そこで不忍池のほとりのホテルに陣取ってその作業に取りかかった。そのホテルは、法華会館のあとにフランスの建築家によって建てられた小粋《こいき》な建築で、池の向こうの上野山の五重塔と調和させようとはかったのであろう、こちらも五層にくびれた細長い格好を瀟洒《しょうしゃ》に押し立てていた。その最上階のルームに陣取って私は、凝った和紙で大判の詩画集作りに精を出していたのだが、何たる偶然か、折しも、ホテルの真うしろの東大病院に天皇陛下が入院してこられたのであった。しかも私の止宿しているホテルの裏口と、その東大病院の裏門は、わずか二、三メートルの道幅の小路を挟んで向かい合っていたのである。

詩画集が出来あがり、宮内庁にお伺いを立てると、渡邉侍従長がその病院内で受け

とってくださるという。そこで私はホテルの裏口から病院の裏門に入った。そして、病院内の一室で侍従長と初対面したのであった。

時縁地縁とは、本手記で何度も取りあげた我が自家薬籠中のキーワードである。まさにそれを地でいくような邂逅ではあった。

病院とはいえ、天皇の仮の御座所である以上、その隣室は「剣璽《けんじ》の間《ま》」にほかならぬ。侍従長は、いわばそこから真っ直ぐに出てきて、献上品を受け取ってくださった。その後のご縁の進展を考えると、何か出来すぎていたとの感さえ無きにしもあらずである。

渡邉允侍従長その人も、さすが高貴な血筋の方と分かった。「侍従長奮戦す」という小文を草した折にお調べしたのだが、嵯峨天皇に始まり、鬼退治で有名な、かの渡邉《わたなべの》綱《つな》の子孫でいらっしゃる。そうとも知らず、反日に対応するその勇姿から何となく源《みなもとの》頼政《よりまさ》の故事を思いだして拙文中に触れたが、当たらずといえども、遠からずであった。

源頼政といえば、紫宸殿《ししんでん》の上に夜な夜な飛来するヌエを矢で射落として帝の御病《おんやまい》を癒し奉った英雄である。この頼政が、後白河天皇の第三皇子以仁王を奉じて平氏討伐に挙兵した。さらにその後、南北朝時代から戦国時代にかけて奮戦した勇猛果敢な摂津渡邉軍団へとご家系が続いていったことを考えると、いよいよもって血は争われないとの

感を深くする。

パリの空の下、「セオト」は流れ

こうして、百合と剣を両手にかざして神楽でも舞うごとき単独活動を続けること四年、二〇〇六年に仏訳『セオト』は成り、日本大使館で出版記念会が行われた。大いに喜ぶべきところ、そうとは云い切れない奇妙な雰囲気ではあった。花のパリで、皇后陛下美智子さまの初の仏訳御歌集出版記念ともなれば、大いにこの国のメディアが賑わうべきところ、粛として声はなかったのだ。それもそのはず、仏人記者は一人も招かれていなかったからである。

いまだから云えることだが——。

実情はこうだ。

翻訳トリオの一人、オリヴィエ君が、腕に縒《よ》りをかけてフランスのトップクラスのジャーナリストをリストアップし、提出してくれていたのだが、大使館は、その中の誰にも招待状を出さなかったのである。これにはまったく啞然とさせられた。

在仏日本人記者だけは呼ばれて来ていた。その中の一人、産経新聞社の支局長、山口

昌子氏が目ざとく様子を見てとって、「フランス側の記者が一人も来ていないのはおかしい」と私に詰め寄った。こっちは黙って唇を噛みしめるほかなかった。「元駐日大使の未亡人クラブみたい」と辛辣な言葉が続く。いかにも、そのような高齢のマダムばかりが目につく。日本大使の平林博氏の祝辞に続いて私は挨拶を述べたが、事態を見てとるや、オリヴィエは早々にして席を蹴って帰ってしまった。

翌日のパリの新聞が一行も報じなかったのは当然である。「日本の皇后にして女流《ポエ》詩人《テス》ミチコ、パリで歌集出版……」といった見出しが踊るものと私は期待していたのだが……

それにもかかわらず『セオト』が喚起した波は大きかった。かえってそれは美智子さまのポエジーの真価を証明した形となった。のちに拙著『皇后宮美智子さま祈りの御歌』で詳述したとおりである。それにしても、不可解な事の成りゆきではあった。

誰が壁を立てたのであろうか。

大使館内のある高官が、「大使が望まなかったのです」と、そっと耳打ちしてくれたが。

平林大使は、少なくとも、『セオト』をジャック・シラク大統領に寄贈する労を取ってくださった。「大統領はご自分で必ず読みます。そして返事を下さるでしょう」と聞かされていたが、そのとおりとなった。仏訳『セオト』は各界の感動と讃辞を喚起し、

シラク大統領の一言は錦上花を添えた。

あれから十三年が経ち、今年、平成から令和へと御代が切り替わった。いまからつらつら思いかえせば、壁の原因は根深いところにあったような気がする。ここでは深入りを避けたいが、要するに、本当の日本が顕れては困る勢力が動いたとしか云いようがない。翻訳進行中に、すでに、「この本は出るものか」と宮内記者会が息巻いているとの声が蔭ながら私の耳にまで伝わってきていた。渡邉侍従長の力をもってしてもどうしようもならなかったものか、半年間も進行がストップしたことがあった。その間の自分の苦悶は筆舌に尽くしがたい。御歌の翻訳と解説は細大洩らさず侍従職の担当官による厳正なチェックを受けて行われていたのだが、ついに半年間の頓挫ののち、二〇〇五年（平成十七年）十二月、クリスマスの頃に侍従長から電話があり、今年中に進行は不可能であると告げられた。絶望に打ちひしがれていると、その日の夕刻、再度侍従長から電話があった。皇后陛下より、最優先で実行するようにと命じられましたという事態の急転回であった。まさに、鶴の一声——。すると、翌年の松の内も明けないうちに、停滞していた作業は一気に片付いてしまったのだった。

のみならず、そのあと私は宮中歌会始の儀に招かれてパリから馳せ参じ、さらに皇后

さまから御所に賜茶にお呼ばれしたことは、まことに光栄の極みであった。

平成十八年四月十八日のことだった。

その折、承ったご述懐の中で私が何より強く思いだすのは、カトリックのご家庭と学校でお育ちになりながら受泉はなされなかったということだった。その理由について、こう仰せられた。もし神が全智全能であるならば、なぜこの世に「悪」があるのかと考えたがゆえに――と。

数ある皇后美智子伝の中でも、この一点に触れたものは皆無なのではなかろうか。

このおひとことを伺った瞬間、私は、総身がふるえる思いがした。あゝ、かくてこそ、このお方は天皇の后と成るべく定められたお方だったのだと感じた。もし御前《おんまえ》でなかったなら、テーブルに突っ伏して、面《おもて》をも上げえなかったに相違ない。

そのときのことを思い起こして、のちにこう考えるようにさえなった。

多大の時間をかけて自分は彼の地でマリア顕現地めぐりをし、「戦うマリア」の姿に感銘を受けたが、凛乎たる皇后美智子さまのご姿勢は本質的にこれと重なるものではなかろうか、と。

「解決は一番高いところからでなければ来ません」

哲学者ジャン・ギトンをも感激せしめたお言葉を伺ったのも、そのときだった。

防人はただ感泣するのみであった。

*

勇躍してパリの戦陣に戻り、防人の活動はその後も続いた。そしてついに、翌二〇〇七年六月一日、ＡＦＰ通信を通じて《日本の文化人宣言》を発信するという大飛躍にまで至った。第一回目は七人の同士によって、二回目は七十七名もの日本の各界一流人士の署名を集めての画期的アクションである。ＥＵ圏内での日本の歴史戦において一籌《いっちゅう》を画するものと自負している。発信の主旨は、要約すれば次のようだった。

《われわれ日本の歴史家並びに文化人は、フランスの碩学ルネ・レモン氏の高唱のもと、七百名の知名士の間に展開された「歴史に自由を！」運動に賛同し、いわゆる南京事件が欧米のメディアにおける非客観的事実の典型であることを指摘し、真実追求を欲するあらゆる人士とともに速やかに科学的比較研究を共にすることを切望する……》

最期にこう加えた。

《勝者によって書かれた歴史は必ずしも真実の歴史にあらず》

天下のAFP通信をとおして全仏代表機関三千社相手に発信されたアピールであるから、賛否両論の反応が沛然《はいぜん》と起こったことは、前回のラジオ・クールトワジー出演のときの比ではなかった。フランスの二つのブログで反応が示され、以後、今日に至るまでずっとダントツで走りつづけている。

しかし、在仏日本人記者団からは、委細を知らせても、ことりとも応答もなかった。EU圏におけるこれほどの大がかりな反「反日」活動は他に皆無だったと思われるが、おそらくその意味も分からないのであろう。ル・モンド紙に対する抗議状のときと同様、結局、祖国同胞は、私が日本会議の『日本の息吹』誌に伝えたことを除いては何も知らされずに終わってしまった。

天下の産経新聞自身が壁を立てたからである。かねて親交のある同紙支局長の山口昌子氏から電話があったので、喜んで受話器をとると、こう宣言された。

「日本は戦争に負けたんだから、こんなことを云う資格はないのよ。口惜しかったら、

戦争に勝てばよかったのよ」

そうか、これが本性《ほんしよう》だったのか……。かねて彼女からは、「うちの新聞について、フランスでは、『あの極右の』と枕詞のように云われるので困っているの」と聞かされていたので、さぞや反日への抵抗戦士かと受けとってきたが、とんでもない、事実は正反対だったのだ。産経特派員にしてこれであるから、祖国の日本人は只一人の特派員からも只の一行も状況を報じられことなく、まったくのかやの外に置かれたままというのも当然の話であった。

*

こうして、パリでの我が孤独の戦いは終わった。

日本文化防衛戦の第一線の塹壕掘りとして、その組織化のための橋頭堡の坑の一本にでもなればいいと念願し、非力を振るったが、さまにならなかった。

大きな疑問が残った。フランスで、フランス語による皇后さまの歌集が出たというのに、この国のメディアが一行でもそれを伝えることを、ほかならぬ日本国の外務省が阻んだ。逆に、凄まじいまでのこの国のメディアの反日報道に対して、AFP通信をつう

じて「文化人宣言」を発したが、こういった日本の名誉維持のための切り札的動きについて、現地の日本人特派員たちは只の一行をも祖国に伝えようとしなかった。これでは国の威信は保てない。外交筋とメディアが一体となって壁を内側から造っていることが明らかとなり、絶望感は募った。

しかし、また、前大戦の戦勝国たるフランスそのものの内的矛盾、閉塞も、日本に劣らず深いということをも、とっくりと見せてもらった。《自らに背いて分裂せる王国は亡びたるなり》とのマタイ伝のイエスの言葉を、「王殺し」によって実証したのがフランスだった。日本ではないのだ。敗戦国でありながら、「皇国日本」が威光を放っていることの意義を改めて嚙みしめずにいられなかった。

ほとんど、これは、世界史の奇観と云っていいほどのことではなかろうか。なぜ、かという理由を改めて考えねばと思った。

*

そういえば、「分裂せる王国」の必滅の結果をまざまざと見る機会があった。防人として渡仏した翌年、二〇〇三年六月八日に行われたルイ十六世の嫡男、ルイ＝シャルル

の埋葬式である。国王夫妻がギロチンにかけられたあと、ひとりタンプルの塔に幽閉された哀れな十歳の王子は、惨憺たる病死をとげたが、王子を最後に看取った高徳の一人の医師の保管した心臓のおかげで二百年余ののちにＤＮＡ鑑定が行われ、王子のものと比定されたのである。

本来ならば、ルイ十七世としてフランス国王となる身分だった。しかし、式典はブルボン家によって私的に挙行されるほかはなかった。ただし、一般人も参列できるとの予告を新聞で知って私は駆けつけた。

王家菩提寺とは、パリ郊外サン・ドニの有名なバジリカである。大革命の暴徒によって墓はすべて暴かれ、骨灰はばらまかれるという憂き目を見たが、フランク王国の始祖メロヴィング王朝以来の歴代王家と忠臣の石棺だけは残って、地下墓地に整然と並んでいる。多くは、故人の姿を仰臥像として石棺の蓋に刻み、これは有名な「ジザン」の名で呼ばれている。

その地下墓地《クリプト》の一画に、王子ルイ＝シャルルの心臓は円筒状のガラス器に収められて安置されていた。人々はその前を一列になって通りすぎていく。私はフランス人写真家の友を誘ってそこに加わっていたが、もちろんジャポネは他には皆無である。人々は、かくべつ、畏敬を払うでもなく、ただぞろぞろと通りすぎていく。私の番が来て、小部

屋に入った。左手に、ガラス瓶の中の臓器を、しかと見届けた。思わず知らず、私は合掌していた。同行の友人も釣られてその真似をする。

その光景を何物かが見た……、そして憑《つ》いたのであろうか。

数年後、日本に帰国してから、ある機会に、*想像を絶する暗合現象を体験することとなる。

*想像を絶する暗合現象の体験とは、このようである。拙著『ノストラダムス・コード』を執筆中、ルイ十六世が王妃マリー＝アントワネットとともに亡命をはかってパリのテュイルリー宮殿から脱出中の場面について私が書きつつあった、まさにそのとき（二〇〇九年五月十九日）、王が脱出にあたって書き残した「フランス国民への手紙」がアメリカのオークションで発見されたとのニュースがテレビで報じられたのである。この種の暗合現象――シンクロニシティ――の連続だった我が人生においても、これはまったく群を抜いた出来事であった。確立ゼロの偶然という意味で。ルイ一六世一家は、その夜、運命の地ヴァレンヌで捕縛され、断頭台への道を辿る結果となるのだが、本手記「第六巻　秘声篇」で記したごとく、私はヴァレンヌの王逮捕の記念碑に詣でて、驚くべき超常現象に見舞われている。超シンクロニシティとひそかに信ずるゆえんである。

第四章　薔薇宮の奥

「ずっと南、ずっと暑い……」

あれは、帰国して——最終的に——何年目のことだったろうか、まったく思いがけず、ダライ・ラマ法王にお目にかかる機会を得たのは。

一にも二にも、常林寺の住職、林 秀穎《しゅうえい》師のお蔭である。

盟友との決裂の寸前にまで行ったほど、フランスの反日活動相手の文化防衛戦に身を張ってきたことが嘘のような、無風状態の日々が私にとって始まっていた。

と云えば聞こえはいいが、実際は、突然の回り舞台に当惑する思いだった。わが憂国活動フランス篇の五年間が過ぎると、住んでいたパリのアパルトマン——「アレジア」地区の——が売り立てに出された。とてもそれを買うだけの資力はないので、いったん鉾を収めて祖国に帰還した。やはり俺は一匹狼かな。五十年ぶりに再会し、文化防衛戦の戦友ともなってくれた国民学校同級生、瀧澤和子は、世田谷の実家に戻り——そこには重度身障者の娘と孫娘が待っていた——、自分自身は、ここ、三田寺町に長い草鞋を脱いだ。やがてそこは終《つい》の棲家《すみか》になろうとしていた。

顧みると、自分の人生は、断絶から成り立っている。自慢できることではない。継続は力なりの反対で、そのために失ったものが格段に大きい。ただ、取り繕《つくろ》うわけではな

いが、なぜ寺院と墓地ばかりの変わったこの界隈に落ち着くようになったかと考えると、どうやら偶然とばかりはいえない何かがはたらいていたような気もする。ひとえにそれは隣家の常林寺とのご縁によるものらしい。手記の冒頭に記したように、ここの山門は、わが「ロジエー」の秘密にも通じているようで……

日本政府が中国を懼れてチベットの亡命法主の入国に難色を示していたころ、つとに林秀穎師は、自らが校長をつとめる世田谷学園に、私財を擲って法王を招聘するという陰徳を積んでおられた。

チベットということに鍵はありそうだ。チベット密教においては、夢とヴィジョンは分けられない。「ヴァプナにおいて夢をもヴィジョンをも見る」といった考えかたをする。ダライ・ラマご自身、一にも二にも、「夢に学べ」と諭しておられるとおりである。

三島由紀夫の『豊饒の海』の、あの宇宙的スケールの遠大かつ綺想をきわめた探索も、元はといえば、一場の夢に端を発している。第一巻『春の雪』の、松枝清顕の「夢日記」の中の、あるシーンに。

エメラルドの宝石に映った少女の顔――。

第三巻、『暁の寺』で、清顕の生まれ替りとおぼしきタイ王室の小さなお姫さま――月光姫《ジン・ジャン》――が、清顕の親友で弁護士の本多繁邦の膝にすがりついて「本多先生、何と

いふお懐しい！　私は……足かけ八年といふもの、今日の再會を待ちこがれてゐました」と掻きくどく場面を読んで、なぜか私は涙が流れて仕方がなかった。

最初のパリ生活のときだった。著者三島氏は、自刃に先立って、面識なき私のもとにこの畢生の超大作を献辞入りで送ってくださった。『春の雪』から『奔馬』、『暁の寺』と読み進んできて私は、第三巻のこの場面に至って動けなくなってしまった。他にも感動的場面は幾らでもあるのに、なぜあの最も現実ばなれのした月光姫狂乱の場面にあんなに自分は感じたのかと、いまだに不思議でならない。

いま、この稿を書き進めるにあたり、久々に改めて全巻を通読してみたが、第三巻のこの場面にさしかかると、やはり、仕掛けでもあるかのように止まってしまう。涙さえ滲む——またしても。何かがどうもそこにあるらしい。

『豊饒の海』全巻の、カトリック大聖堂のゴチック建築さながらの複雑な壮麗さを持った構成は、高貴なる一青年の書き残した一冊の夢日記の中の、はかない一場の夢の上に築かれているのだ。ギゼーの大ピラミッドが、見えない小さな玄室を覆って築かれているように。

起こることは、あらかじめ見られていた。ヴィジョン先行の肯定である。

こんな突飛な考えも浮かんだ。エメラルドの宝石に映った少女も、一輪の薔薇をかざして我が夢枕に立った女性も、出自には共通点がある。どちらも、輪廻転生の信じられている世界からの顕現という——。「……ずっと南、ずっと暑い」国よりの——。ということは、南冥の地との接触なくして「ロジェー」の秘密を解くことは不可能ということではなかろうか。

こう考えたとき、かつて、一時的にであろうと、国際ボランティアとしてバングラデシュとカンボジア、わけてもカンボジアの土を踏んだ想い出が忘却のかなたから甦ってきた。それは、心ならずも西洋に片寄りすぎて遠ざかっていた自分のアジア的ルーツを思い起こすことでもあった。

四歳のときの夢で深く記憶に刻まれた、高い椰子の木々に襲いかかる、あの大津波の青さ……。正夢のときは必ずカラー版という自分の経験からすれば、私は、いったん大洪水に呑みこまれて死んだ身であるのかもしれない。

人生の最晩年に臨んで、夜と星々につつまれた西洋の神秘世界の対極に、いま、眼前に、海と太陽に照らされた熱帯のアジアが迫り上がってきた……

ダライ・ラマとの邂逅

一つことだけお聞きできればいい、との思いで臨んだ会見であった。

まさかそのような機会に巡りあえるとは思いもよらなかった。二十歳代にマルローと邂逅したときに劣らぬ僥倖のきわみと感激しつつ、世田谷学園へと向かった。

あのとき自分は、大学院を中退して社会人になったところ、その勤務先に、修士論文の主題であるマルローその人が現れて、電撃的出遭いを持った。それなくんば自分の未来は啓けなかった。象牙の塔に留まっていたのでは到底得られなかったであろう人生の激浪へと押し出されて――。

こたびは、最後のフランス生活の鉾《ほこ》を収めて帰国し、これまた、たまたま、下町育ちの自分とは全く無縁の三田寺町の一角に寓居を定めたところ、その隣家が、ダライ・ラマ十四世と昵懇の間柄の住職の住まいする禅寺だった。そのご仏縁により今日の拝謁の機会をいただいた。

二〇一〇年六月二十五日朝、常林寺の山門前から出発する車に、住職の奥さま、お嬢さんと同乗させていただいた。

この日、法王は、仏教教育の名門、世田谷学園で生徒たちに講演を行われるとのこと

だった。常林寺の林秀穎師は同学園の校長を兼ねておられた。三年前に法王を日本にお招きし、同校で講演をしていただいてから二度目の招聘という。その熱意には脱帽のほかない。

学園は、校門から校舎まで立錐の余地なく歓迎の人波で埋めつくされていた。私もその中に混じって立った。やがて車が到着し、法王は、随行の一団とともに降り立つと、僧形の人々が合掌する間を通り抜けて、一階の客室へと向かわれた。私もそこに招じ入れられた。身動きもできないほどひしめき合う人々のなか、同じく僧衣を纏った林校長が手招きして私を呼び寄せ、法王に対面の労をとってくださった。

私は襟に「チベット救済百人委員会」のバッジを付けていた。天下あまねく知られた黄丹の僧衣に身をつつみ、男性的風貌に精気をみなぎらせた法王は、チベット国旗を表したこの小さな徽章《きしょう》を見るや、握手ではなく、右手を伸ばしてそれに触れられた。

すかさず私は英語でこうご挨拶申しあげた。

「以前、フランスのノルマンディーで猊下が講演をなさったときに、私はパリから駆けつけて拝聴いたしました」

すると法王は満足げに応じられた。

「あゝ、あのとき、ノルマンディーに来られたのじゃな」

1

2

1.　著者が終の棲家と定めた三田寺町の曹洞宗常林寺。その見事な庭の一隅の、目立たぬ小さな薔薇の木が、生涯にわたる探索の動機となった「ロジェー」の夢を思い起こさせた(第1巻21頁)。
2.　常林寺住職、林秀頴師(右から二人目)の引き合わせにより初めてダライ・ラマ法王と出会う。法王は、著者が胸につけたチベット救済百人委員会のバッジに触れて喜びを表された(第1巻8頁)。

「フランスの少年少女を相手に、政治と歴史問題にも踏みこんであのように権威を持って語られるのは、世界中で猊下お一人です」

こう讃辞を呈すると、即座に応じられた。

「同じ問題を共産党中国が扱うとなると、ぜんぜん偏向したものとなります」

万里の長城世界がいかに常時法王の頭上を圧しているか、早くもその一端をかいまみる思いがした。

「長いこと私は法王さまにお目にかかってお教えを請いたいと願ってきたことがございまして、実はそれは……」

と云いかけたところで、話はさえぎられた。無理もない。とうてい実《み》のある会話を続けられる雰囲気ではなかった。次々と紹介を待ちうける人々が引きも切らず、狭い応接室は噎《む》せかえるばかり。そのうちに、講演時間が近づいたらしく、周りは一斉に廊下に流れ出た。私は押しへだてられて後方から随いていくと、法王は振り返ってこちらを見て、手招きされた。近寄ると、「英語をお話しじゃな」と念を押して、「あなたとはお話がしたい……」と云われた。しかし、そのときには、すぐ近くのエレベーター前に一同は到着し、法王は乗りこまれた。私も乗ろうとすると、中の一人の坊さんから、「ここは外部の方はご遠慮願います」と押し止められた。

広い講堂の、演壇に向かって前列右手の来賓席に就いた。

場内は可愛らしい生徒たちがぎっしり。

ノルマンディーでもそうだったなと私は思いだしていた。だが、雰囲気はまったく違っている。なにしろ、あのときは、会場そのものがノルマンディー上陸作戦の記念館だった。天井からはジェット戦闘機「ミラージュ」がワイヤーで吊り下げられ、その真下に、床に直に座った五百人の少年少女から矢つぎばやに鋭い質問が飛んだ。「法王さまは非暴力主義をお説きですが、もし敵が攻めてきたらどうするんですか」といった具合に――。

いっぽう、ここは、同じ高校生《リセアン》でも大違いだ。法王の講演が終わると、二列に縦に並んだ生徒たちから同じように次々と質問が飛んだが、当然、政治・軍事に関する問題は皆無。これは、大人相手の講演会においても同様であろう。万事泰平の日本なのだ。

ダライ・ラマは、しかし、相手が未成年だからといって手加減するようなことはない。「どのように学問したらいいのですか」との一少年の問いに対して、「できるだけ細かく分析すること」と答えられたごとき、それである。たしかに、真理の探求において、性急な綜括、結論は許されない。「人間存在の奥深さは」と、どこかで法王が書いておられた言葉を私は思いだしていた。「科学的唯物主義では捉えきれないほど複雑である」と。

それにしても、ここでは生徒たちの質問は総じて無邪気だった。こんなのまであった。「法王さまは何を食べておいでですか」と。

だが、どんな質問もはぐらかさない賢者のスタイルをここにも私は見いだした。「私の食事はこれこれ……」と答えたあとで、「日本のうどんが大好きです」との返事に場内は爆笑につつまれた。のちに私は猊下のこのうどん好きを目のあたりにすることとなる。

林秀穎師は何事もおろそかにしない方である。これほど自らの実行したことのみを切り詰めて語る人を私は見たことがない。チベット救援活動だけではない。ミャンマーでの戦死者遺骨採集のこと、インドのカルカッタで、あえて死を求めてきて累々《るいるい》と横たわる人々の小路を選んで歩かれたときのことなど、淡々と、ほとんど第三人称的に語る口ぶりに私は注意させられてきていた。一度だけ、こちらの質問に答えて、曹洞宗の総本山、永平寺での修業について語られたことがある。同期の入門者から三人の自殺者が出ましたと、事もなげに応じられるのであった。警策《きょうさく》で打たれるときも、通常の平たい面ではなく、側面の角で打たれるというふうで、襦袢《じゅばん》に血が滲むほどだったという。老師の静謐なお顔は、却って秋霜烈日の修業の厳しさを眩しく私に想像させるのであった。

それから五年経った。

その間にも、常林寺の方丈は、忘れずに私のことをお考えくださっていたのであろう、奇篤にも法王との二度目の会見の機会を設けてくださった。場所は長良川観光ホテルだった。曹洞宗岐阜県青年会の創立四十周年を期して記念講演が行われるので、それに先立って昼食会に同席させていただけるという。

長良は、わが曾遊の地である。四十年前、同地に隠栖された禅老師、久松真一先生をお訪ねしたことがあった。パリで奇蹟的に入手した名著、『禅と美術』一巻をたずさえて伺候した。請いに応じて、書家としても著名な師匠は、本の見返しに「事々無礙《じじむげ》」と揮毫《きごう》してくださった。さすが鋭い眼光だ。さながら、「仮装集団」の巣窟でもがきつつあった当時の不肖の弟子の逆境を見抜かれたかのよう。以後、この四文字を繰りかえし見てはどれほど不始末を恥じたことか。無礙どころか、障礙《しょうげ》だらけで、つまずくばかりだったのだから。

久松老師の炯眼は徹底していた。草堂の枝折戸の手前に、煤竹《すすだけ》であろうか、一叢《ひとむら》の優雅な細身の竹が茂っていたが、それを指さしながら「幽竹拂月寒山涼」と色紙に書いてくださった。「竹本の竹にちなんで」と仰りながら。幽竹、月ヲ拂ッテ、寒山涼シ。しかるに、凡愚、月を拂えず、寒山涼しどころか、大やけどして路頭をさまよう破目と

なった……

そんな懐旧に浸りつつ、講演会場のある長良川添いのホテルに前夜到着し、翌日の昼食会に臨んだ。驚いたことに、私の席は法王の右隣に用意されていた。ただし、おおぜいの会食の場で自分勝手な談論は許されない。多年胸に抱懐してきた疑問は今回もあきらめるしかない。それよりも私は法王の健啖《けんたん》ぶりに目を見張った。好物と伺ってはいたが、大どんぶりのうどんを平らげ、ついで白飯を旺盛に食しておられる。

「たいしたもんですな」

と法王の左隣から声がかかった。先刻、サロンで紹介を受けた阿部なにがしという九十翁だった。その寂びた人柄に私は惹かれるものを感じたが、甲府松元寺の住職で、山口県で教誨師をつとめられておられると伺って、なるほどと思った。

頃合いを見て、法王にお尋ねした。

「猊下は肉食はなさらないのでしょうね」

「いや、食べますよ」

と、いましも、きんぴらごぼうを箸につまみあげながら法王は答えられた。

「肉食だってします」

「ええ、まさか……」

「以前は肉食は絶対にしませんでしたが、医者から健康のために少しは食べるように云われましてな。そこで、こう考えた。牛は大きいから、その一切れくらい食べたって、まあ、許されるだろう。反対に、小魚の類は、いっさい食べません。小なりといえども、一匹々々のいのちなのだからな」

なるほど。生殺戒は合理的に裏付けされている。

そういえばと、あるシーンを私は思いだしていた。福岡でペマ・ギャルポ氏と食事したときのこと、土地の名物の「しろうお」が出たが、さすがに彼は絶対に箸をつけなかった。生きたまま喉《のど》ごしに飲みこむという風習に従って、私も周りの人々をまねていたのだが、チベット人には、見るもさぞ苦痛だったであろう。

「われわれチベット人は体格がいいので」

と法王は言葉を続けられた。

「中国人と格闘したって負けませんぞ」

そして、からからと笑った。耳を傾けていた周りのテーブルからも釣られて笑い声が上がった。

法王の笑いは有名で、ほとんどそれは芸の内だった。世田谷学園でも、ふとしたきっかけをとらえて「うふふ……」と笑いだすと、それが波及して場内全体が爆笑につつま

れる光景を何度も目にした。

あとで私は林老師から聞かされたものである。「あのお体でしょう。胸幅の広い……。たしかに、チベット人はひじょうに頑丈です」

岐阜での講演会そのものは取り立てて重要というものではなかった。主催者側の曹洞宗青年会は、又とない仏教普及の好機として熱心に設営していたが。赤ちゃんを抱いた母親まで舞台に上がって質問するなど、さまざまの見場《みば》に工夫を凝らしていたものの、概して迫力を欠いた。チベット密教の特質について一つくらい質問が出てもいいのにと、ちょっぴり残念だった。

ともあれ、林老師のお引き立てにより、法王の傍らで陪食させていただいただけでも光栄で、またそれは法王の人間的側面を垣間見る好機でもあった。ただ、またしても本質的な問題を聞きそびれたという遺憾な気持は拭えなかった。もうその機会は二度と来ないであろうと思いつつ、長良川に添って延々とタクシーに乗り、新幹線の岐阜羽島駅へと向かった。

＊

このような次第であったから、その翌年の秋、林老師から、又しても、世田谷学園でのダライ・ラマ講演拝聴の機会を頂いたときには、耳を疑った。三度目の正直、こんどこそ、胸に秘めた一事を尋ねずば止まじと心に誓った。

二〇一六年十一月十六日朝、ご講演に先立って若干の会見時間を賜った。長良のあとのこととて、法王は、よく見知ってくださったものか、こちらを見るなり、いかにもご満足げにご引見くださった。ほかに見知らぬ日本人男性が二人同席した円卓に、法王を前に私は席に就いた。開口一番、思い切ってこう申しあげた。

「実は私は、二十歳のころ、夢で猊下にお会いいたしました……」

法王は、ほほうといった表情をされた。

「法王さまは、これから訪ねていくよとおっしゃいました。未明の夢でした。ところが、夜が明けるや早々、電話が掛かり、当時、法王さまの日本代表であったペマ・ギャルポ氏が初めて私を訪ねてみえたのです。チベット救援活動に尽力してほしいと頼まれました。私は、ちょうど、カンボジアから帰ってきたときのことでした」

すると法王は即座にこう答えられた。

「そういうことはあるのじゃよ」

「林先生のおかげで」と私は法王の斜めうしろに控えた常林寺住職に会釈して続けた。

「猊下に拝謁する機会を頂き、この夢は叶ったのでございます」

と、法王は、こう質問された。

「あなたはカンボジアに行かれたのかな」

このとき、部屋の隅から、「あとは私が通訳しましょう」と女性の声が掛かった。法王の側近で、チベット密教研究家の日本女性、マリア・リンチェンさんだった。アメリカで法王と出会って以来、その跡を慕い、ダラムサラを中心に活動を共にしているという。そこで私は、英語を日本語に切り替え、「はい、一九八一年に難民救済団の一員として訪ねました」とお答えし、続いて勇を挙《こ》して申しあげた。「ロジェー」の夢を。

チベット語でこれは通訳された。

法王は表情を引き締めてお聴きになり、頷かれた。何か仰るかと期待したが、格別のお言葉はなかった。

だが、私に失望はなかった。夢を叡智の元とする精神文明の最高指導者から、ついに積年の課題を聞いていただいただけで十分だった。そこで、歓喜に胸を踊らせながら、こう続けた。

「私はチベットに行ったことはございませんが、この夢の最後で、天山路という道標のかたわらから遥かに仰ぎ見た峨々たる大山脈は、崑崙《こんろん》山脈だったに相違ないと信じ

ております」

こう申しあげると、初めてこのようなお言葉が返ってきた。

「感覚器官を通さず、意識によって直接とらえられるものがあり、夢はその大なるものなのです。また、粗大なる身体から分離される微細身により夢中飛行は行われえます」

そしてこう付け加えられた。

「それにしても、意識について客観的視点に立った科学上の成果が驚くほど少ないのは、なぜであろうか。意識は、熟睡中も休眠しとるわけではない。私はアメリカの科学者たちとも語りあったが、彼らは、思考は脳内物質の産物だなどと云っておる。真実はその逆だということを認めたがらない。その点、デイヴィット・ボームは、この世界を包括的に考えるうえで一つの大きなヒントを与えてくれました……」

ボームの名が出たので私はなおも嬉しくなって、思わず小声で叫んだ。

「実は、猊下、私もこの物理学者の暗在系理論に衝撃を受けまして、それを元に、心と物質世界に橋をかける国際会議――《科学・技術と精神世界》――を筑波大学で主宰したことがあるのです」

「それは何年のことかな」

「一九八四年でございました」

「とすると、私がダラムサラで《心と生命》の会議を開いたときの三年前で、ほぼ同時期じゃな。で、あなたは、どうしてそのようなことを思いつかれたのかな？」

「まったくの素人ながら、ビックバン以前の宇宙をなぜ物理学は問題にしないのだろうと疑問に思っておりましたので……。仏教的世界観では、これはどうなるのでしょうか」

「仏教では、そもそも、宇宙に始まりがあったとは説きません」

と法王は静かに応じられた。

「ビックバンは、繰り返されるのです」

それこそは現代の最先端宇宙物理学の理論――パラレル・ワールド――と一致している点ではあるまいかと、なおも驚いて私は話者の口元を視つめた。

ダライ・ラマ十四世の科学的探求心は世に知られるとおりである。各界の一流科学者と対話を重ねてこられた。反対に、「日本の僧侶は科学の勉強が足りないといって叱られましたよ」と私は林老師から聞かされていた。

「科学的唯物主義が蔓延しておる」

と法王は続けられた。

「マルクス主義の弁証法的唯物論によれば、やがて非宗教的社会が実現するだろうということじゃったが、この考えかたでは、人間の霊性というものが全然わかっていない

「……」

「それなのに」と私は、やや激して申しあげた。

「中国に対して日本は、独自の高い精神文化を持ちながら、いつまでも皇軍の残虐行為などと云い立てられても、謝罪を繰りかえすばかりで抗弁の一つもできずにおります。私共はどう行動したらいいとお考えですか」

百合と剣で日本文化防衛戦を戦ってきた経験から、思わず禁断の領域に踏みこんでしまった。出すぎたかなと後悔しかけたが、法王は、私以上に憤然としてこう反応された。

「あなたがたは、中国に向かってこう云えばいいんじゃよ――日本の残虐々々というが、すべて過去のことだ。しかるに、中国人よ、あなたがたは、いま現在、こんなにも残虐行為をやっているじゃないか！、とね」

びっくりするほど強い語気だった。

百万余の国民を虐殺され、他国へ亡命し、後継者たるパンチェン・ラマもいずこかへ拉致され……と業苦の限りを味わってこられた亡命法王として、非暴力主義を説かれながらも、胸中ふかくどれほどの悲憤を抑えてこられたことか、その炎の一端の閃き出るのを垣間見る思いがした。

私は、まじまじと、目の前の逞《たくま》しい男性的風貌を視つめなおした。太い眉の下、眼鏡の奥から、炯々たる眼光が放たれている。つい最近、テレビで見た光景を思いださずにいられない。中国政府が「ダライ・ラマは悪魔」と罵ったことに対して、さすがに怒りで声をふるわせ、ご自身の顔を指さして、「この顔のどこに悪魔がいますか」と言い返しておられた。

「そんな中国を恐れて」と穏やかなトーンに戻って云われた。「アジアのどの国も私を呼ばなくなったが、こうして日本だけが招いてくれています」

私共日本人にとって譬えようもなく嬉しい一言だった。

林先生、あなたのご陰徳の賜物ですよと、無言の感謝をこめて私は、黙々と会話に耳を傾けておられる常林寺住職の顔を視つめて頷いてみせた。

できればお聞きしたいと願っていた質問がもう一つ残っていた。マリアの顕現現象である。本手記「第七部　影向篇」で縷々《るる》語ったとおり、物狂いと思われるほどに私は熱中してヴァチカン公認の顕現地を回ってきた。《輪廻転生の神秘を信ずる仏教的アジアから見て、天啓の神秘を信ずるキリスト教西洋はどう対応しうるか？》――この究極の疑問に法王はどう答えられるか、ぜひとも伺いたかった。

そこで恐る恐るこの問題に水を向けると、ひとこと、こう答えられた。

「ある少女がキリスト像を礼拝中に、キリストが光とともに顕れた。写真にも撮られた。そのようなことじゃな……」

「はい」

と頷くと、あとは微笑しながらこう結ばれた。

「ファティマでな、私が振り向くと……」

そうか、法王はファティマにお行きになったのか。

「……キリストの彫像がほほえんだ。仏像がほほえむのは見たことがなかったが」

最後の一言は冗談まじりの感じで云われた。

本当はどうお考えなのか、いまもって分からない。

ここでチベット僧の一団が部屋に入ってきて、会話は中断された。三十分たらずの会見は終わった。しかし私にとってそれは一生に二度と得がたき恩寵の時間であった。

講演会場に向かう法王に従って私も立ちあがった。と、法王は私の手を取り、その手を握ったまま廊下に出られた。両手をつないだまま、びっくりして見る人々をかきわけて二人は廊下を進んでいった。

こうして夢は実現し、薔薇の幻像は、一段と高い次元で発光を取り戻した。

長い長い地雷原

フランスから日本にかけてダライ・ラマの存在と思想に接しえたことは、不悟の身にとってかけがえなき僥倖であった。「白昼の神秘」の究極体現者についに巡り会えたという意味において。

人は一般に、行動によって死への問いを封ずる。「スピノザに対するレーニン」とマルローは喝破した。逆に、チベットのみならず、南方仏教の世界においては、死への問いが行動を惹起するのだ。輪廻転生にその極まりを見る。

私はそのことをカンボジアで学んだ。かつて我が流浪時代に、難民救援団に加わって赴いた先で。

キリスト教西洋文明に輪廻転生の問いはない。ギリシア人はそれを信じていたが。しかし、私は、アルプスからピレネーにかけてのマリア顕現地めぐりの果てに、最後に驚くべき女性幻視者と巡り会い、自分の近未来のみならず前世までも告げられた。近未来は、まさにその直後から、絵にかいたようにそのとおりに展開していった。では、前世

は？　だが、どうやってそれを証明できよう――かりにそれが事実だったとして――。

　こう自問しつつ帰国したときにダライ・ラマ法王と邂逅したのだった。転生の生き証人そのものである奇蹟的存在に。

　ともあれ、この貴重な出会いのおかげで、私の長い内的遍歴は、西洋から、忘却のかなたに押しやられていた熱帯アジアへと回帰した。


　熱帯アジアとは、自分にとって、何よりカンボジアである。私は四十代にバングラデシュとカンボジアの二ヶ国で国際ボランティア活動に従事したが、そのうち霊性的に深いかかわりを持ったのは後者のほうである。

　一九八一年二月、四十五歳で、「仮装集団」を飛び出て流浪生活に入ったとき、その開幕がカンボジア行だった。世界日報社の主宰で、志村儀亥知氏を団長とする難民救援団に加わった。クメール・ルージュによって同胞二百万人を殺戮されたカンボジア共和国の生存者たちは、タイ国境に脱出し、そこに張りついて辛うじて生き延びていた。これに救援物質を送り届ける目的で民間人五十名ほどが編成されたのだが、その中からさらに密命をおびて別動隊が選抜され、私はこれに加わっていたのである。

　ここでも一つの偶然――縁――がはたらいていた。密命とは、亡国カンボジア復興

を目ざして結成された「クメール民族解放国民戦線」（クメール・セリカ）と接触して、これと日本の連繫を図るべしということで、別途潜行する数名の自民党議員団と現地で合流する手はずが整えられていた。ところで、国民戦線の指導者は元首相のソン・サン氏で、その息子、スベール・ソン君と、たまたま私はパリで知り合いだったのである。紹介者はオリヴィエ君だった。スベール君はソルボンヌでアンコールワット研究の学位論文を準備中だったが、祖国復興のために亡命先のフランスから帰国して生命を賭する父親のあとを追って現地に駆けつけたとの噂を聞いていた。

スベール君と再会して激励したいとの思いもあった。

こうして、タイ国境、ナランヤプラテートの難民キャンプで「チャイヨー、チャイヨー」（万歳々々）の声に迎えられて救援物資――学校用のオルガンまで含まれていた――を配る任務を終えたのちに、われわれ二十名ほどの別動隊は国境をこえてカンボジア領内に入った。そして、炎熱の陽射しのもと、高原の大草原を横切って国民戦線本営の位置するバッタンバン州のスロック・スレン村へと向かったのだった。クメール・ルージュの仕掛けた地雷原の中、安全確保された細道を、うねうねと長い一列になって、どこまでも。その前日にも、われわれ救援団を迎えるために地雷除去にたずさわってい た兵士の一人が吹き飛ばされて亡くなったと、あとでソン・サン氏から聞かされた。

まさに「キリング・フィールド」である。

ここを、「オンカー」と呼ばれる黒装束に身をつつんだクメール・ルージュの殺戮部隊に追われて、六十万もの人々が一斉にタイ国境へと逃げ下っていったのだ。

こうした実態を日本人はほとんど知らされていなかった。クメール・ルージュを操る中国に騙されてのことだ。私は、日本を出てから入手した香港版のあるリポートに「日本のメディアは、ランラン一匹の死に、連日、哀悼の大合唱を重ね、キリング・フィールドを忘れている」とあるのを見て、顔から火が出るように恥ずかしかった。

しかし、中国風おもてなし作戦に引っかかってカンボジアを亡国へと追いやった元凶があった。それが実は国民から神のごとく崇められていた前元首のシアヌーク殿下その人にほかならなかったのである。

ノロドム・シアヌーク！

私は複雑な思いをもって、この名を口にせざるをえない。最も手ひどい裏切りとは最愛の相手によるそれであり、このことは個人でも集団でも異ならない。フランスで騎士道が亡んだのは、「騎士道の華」と讃えられた神殿騎士団員二万人が、その忠誠の対象たる国王フィリップ四世によって殲滅《せんめつ》されたからであった。王は騎士団の莫大な資産を掠奪して国庫を満たそうと企んだのだ。シアヌークの例がこれと同じというわけではな

いが、国民の忠誠を裏切って亡国を惹き起こした点では本質的に同罪とすべきかも。事実はこうだ……

……と書き継ごうとして、いったん、筆が止まる。個々の歴史的事件をこえて、目に見えない巨大なうねりを感ずるからである。

南方仏教圏においては、末法の始まりとされる「仏滅二千五百年」が大きな意味を持っている。数えかたにもよるが、西暦一九五七年がそれに当たるとするのが一つの共通観で、私がお会いした十四世ダライ・ラマも、その年に行われた「仏滅二千五百年記念祭」に参加のため、初めてインドを訪問されている。その年はまた、「カンボジア零《ゼロ》年」と呼ばれるこの国の崩壊の始まりなのだった。

それに先立って、一九四九年に若きダライ・ラマが中国のチベット侵略によりインドに亡命してから八年が経っていた。それより以前に、カンボジアでは、シアヌーク殿下が祖父を継いで国王に即位していたが、王位を父に譲って、自身は左傾政治運動へとのめりこんでいったのが国の不幸の始まりだった。シアヌークは、人民社会主義共同体を率いて議会の全議席を独占した。のちに王位に復し、ソン・サンはその大蔵大臣となった。「仏滅二千五百年後」の西暦一九五七年の時点で切って見ると、シアヌーク国王の治

世は三年過ぎたところで、なおも十三年続く途上にあり、表面的にはこの国はまだ平穏を保っていた。しかし、時に、ポル・ポトらを首魁とするクメール・ルージュ（赤色クメール）は森中に潜伏して国家顚覆《てんぷく》の機会を虎視眈々と窺っていたのだった。

ちなみに、この「カンボジア零年」の一九五七年から一九七五年のクメール王国崩壊に至るまでの十八年間、さながらその亡国を見越してそれに芸術的弔鐘を鳴らしたかのごとく見えるのが、わが日本国の三島由紀夫なのである。『豊饒の海』は、「零年」から八年後の一九六五年から発表されはじめている。第三巻『暁の寺』はタイの王室が中心だが、四年後に書かれた傑作戯曲『癩王のテラス』はカンボジアが舞台である。『癩王のテラス』は、亡びゆくクメール王国への予見的挽歌《ばんか》でなくして何であろう。カンボジアが赤化して共和国宣言を発し、内乱鎮静に米軍出動し、シアヌーク殿下が北京に奔《はし》ったのは、その翌年のことだったからである。

この共時性の意義は、日本では知られていない。いや、世界のどこからも。

そしてその年、一九七〇年の十一月二十五日、『豊饒の海』は我がバイヨン」と云った三島自身、自決によって人生に幕を引いた。

妻妾合わせて三十人を擁する「風流君主」シアヌークは、「背広を着た半獣神」と呼ばれながらも、汎く国民から敬愛されていた。宗主国フランスから独立を勝ちとった英雄として称えられてもいた。日本も常に親愛感を示した。だが、その本当の顔は、ほとんど知られずにきたといえよう。隠された事実は、プノンペン陥落の四ヶ月後、妻ライレと首相ペンヌート以下の腹心を伴って、北京へ脱出し、五年間、中国政府から歓待されて、安逸をむさぼっていたことである。北京と北朝鮮の首都ピョンヤンの間を往き来する奇態なこの亡命君主の不在の間に、クメール・ルージュはカンボジアを血の河と化してしまった。頃合や良しと見て中国政府は、特別機を仕立てシアヌーク一行をプノンペンに送り届けた。一行はクメール・ルージュによって熱烈歓迎を受けたが、実際はそれから四十ヶ月間というもの、軟禁状態に置かれた。しかし、その間に、シアヌークは、見てはならないものを見てしまったのだ。かつて殷賑をきわめた首都は無人境と化し、市民は忽然として消え失せていた。予の人民はどこへ行ったのかと、放蹤を極めたプリンスも、さすがにがっくりと崩折れて泣いたという。

翌一九七六年に憲法発布とともにカンボジア共和国が発足した。しかし、そこへ、今度はヘン・サムリンを首領とする北ヴェトナム軍が侵攻してきた。二百万——当時は二

百五十万人とも三百万人とも云われた――殺戮をやってのけたクメール・ルージュは、それでも同胞だったが、こんどは夷敵《いてき》である。国連は外国軍撤退を決議したが、事態は動かなかった。

シアヌーク国王のもとで大蔵大臣兼首相をつとめたソン・サン氏はといえば、時に公職を離れて隠栖の身にあった。敬虔なる仏教徒で国民の信望も厚いこの人格者は、国の惨劇以前に、熱愛する長男を自動車事故で失ったことを転機に、世をはかなんで、一介の巡礼に身をやつし、諸国巡礼中だったからだ。

実際には、「救いようのない人々の堕落」――と後にわれわれ救援団は告白を聞かされた――に絶望してのことだったらしい。危難を前にソン・サン一家はフランスに亡命した。南仏で暮らし、そこで余生を過ごすはずだった。ところへ一人の密使が現れ、それが全てをひっくりかえしてしまったのである。

クメール王国復興へのボランティア

「その使者が、ここに控えているジェンデル将軍であります」

と、いましも私はソン・サン氏の言葉を通訳したところだった。

そう云いながら右側を指さした元首相の手の動きにつれて、目の前に腰を下ろした日本人救援団の面々は、一斉にそちらのほうを見た。そこには、カンボジアの三船敏郎とでも呼びたい、口ひげを蓄えた精悍《せいかん》な風貌の軍人が、腕を組んで端然と佇立していた。クメール王国復興国民戦線の本営で、われわれは、伝説的指導者ソン・サンのスピーチを聞いているところだった。というよりも、氏の語るフランス語を私が通訳していたわけであるが。パリ以来の旧友、スベール・ソン君との再会を果たし、その縁故から自然とソン・サン側の側近のように振舞う役どころが与えられていた。

長い長い地雷原を踏み分けて辿り着いた高地のジャングルの中に、この本営はあった。ずらり整列した将兵たちの捧《ささ》げ銃《つつ》に迎えられて一行二十名は到着したが、見れば、彼らが捧げ持っているものは銃ではなく、真白なサトウキビの棒にすぎなかった。(銃剣が行き渡らないからだと思ったが、あとで、それこそは輪廻転生にまつわる彼らの思想そのものだと知ることとなる)。藁葺《わらぶき》の営舎に入り、そこでまず、国民戦線議長ソン・サン氏のスピーチを聞く仕儀となった。シアヌーク殿下に対して氏は厳しい見解を持していたが、ここではそれが表面に出ることはなかった。それよりも、亡国に至る歴史的経緯を淡々と述べてきた氏の口調が、急に告白の翳《かげ》りを帯びた変化に、通訳しながら私は注意を引きつけられずにいなかった。

前記のごとくそれは長男の死がきっかけだった。次男のスベール君が従って跡取りとなった。長男は、一九四〇年にソン・サン氏が初めて訪日し、船が神戸に着いたときに生まれた子なので、「コウベ」と名づけられたという。よほど優秀な嫡男《ちゃくなん》だったに違いない。なにしろ、この死を契機に、シアヌークのもとで二十二年間、十回も大臣をつとめ、前年から首相の座に就いたばかりの要職を擲って、インドまで氏は巡礼に赴いたというのであるから。

沈静な口調でその人物はいうのだった。

「このとき以来、私は、仏教の五戒律を守って生きる身となりました。五戒律の第一番に殺生戒が置かれています。いかなる生類のいのちをも奪うことなかれ、と。従って私は、歴史の要請に従って軍を起こしながらも、同時に、いかにみほとけの教えを堅持すべきかと腐心いたしました……」

淡々と回顧は続く。

「帰国して祖国復興を指導せられたいとのジェンデル将軍の切なる要請に私の心は揺れ動きました。何人かの宗教家にも相談しました。すると、異口同音にこう云われたのです――すでに三百万もの同胞が殺されたいま、残されたカンボジア国民を救うのは貴下の責務である。さもなくんば、又も三百万の血が流されずにはいないであろう、と。

こうして私はこの国民戦線へと駆けつけたのであります……」

この言葉に、救援団員から一斉に拍手が起こった。

一個の政治家の弁舌という以上に、グルーの垂示を聞くようにわれわれは耳を傾けていたのだった。


藁葺の本営の会場には、いつしか日本から別途到着した数人の自民党議員も加わっていた。楠正俊、扇千景といった面々である。国民戦線本営は士官養成学校をも兼ねているので、われわれは一緒にそこを視察して回った。カリキュラムに戦争心理学という項目があるのに私は注目し、どういう学科であろうかと興味をそそられた。


滞在中、炎天下にスベール君と歩きながら語り合う機会があった。ソルボンヌでの博士論文、アンコールワット研究は中断したままで、もはや継続は不可能だろうという。父に似て細身の体つきの、カンボジア人としては色白の顔が淋しげだった。しかし、「僕はここでマルローを読みたいんだ」との一言に秘めたる決意を聞く思いがした。たしかに『王道』と『人間の条件』の作家以外に、「人間地獄」と呼ばれるこの国で読むに価する作家はないかもしれない。

スベール・ソン君は、のちにカンボジア共和国の国会議長となった。

短い滞在中、いつしか私はソン・サン氏の側近のような立場となっていた。世界の耳目がこの国の去就に注がれるなか、一日、ソン・サン議長を囲む記者会見が開かれ、世界の主要国の記者団が人界を絶した高地へと詰めかけてきた。

記者会見は、切り開かれた森中の涼しげなスペースで行われた。数十人の、主として白人系の記者たちがそこに屯《たむろ》して、草むらに坐って待ち受けていた。ソン・サン氏がまず概況を説明する。私は他の側近と一緒に脇に控えていた。二、三の質疑応答のあと、不意に議長は私を招き寄せ、一同に紹介すると、このジャポネの言葉を聞くようにと云った。思いがけない成りゆきに私は面食らったが、肚をきめて口を開いた。

「皆さんは、国際諸機関の援助によってカンボジアの危機は回避されつつあるとお考えでしょうが、それは大間違いです」と切り出した。

私のフランス語を一女性が英訳してくれる。ジェンデル将軍とともに常にソン・サン議長の傍えにあるスオン・カセーという女性だった。「カンボジアのジャンヌ・ダルク」の名で周囲から畏敬をもって呼ばれている様子を私は見ていた。後述するごとく、私のカンボジア行に、霊性的見地から別次元の光をあててくれた奇蹟的存在の女性である。

私はおおむね次のように述べた。

「皆さんは、国連の援助によってこの国が立ち直るだろうとお思いでしょうが、それ

はとんでもない誤算というほかありません。過去十ヶ月にユニセフと赤十字が投じた五億ドル、二十五万トン以上の食料提供は、たしかにこれまで行われた救援活動としては最大級のものです。しかし、そのうち、飢えたカンボジア人の手と口に渡ったのはわずか五パーセントで、あとは北ヴェトナムに持っていかれたというのが実情なんですよ……」

周囲の視線を強く感じながら言葉を継ぐ。

「二百万人が殺され、残った四，五百万人をどう救うかに、われわれ自由世界は人道主義的努力を傾注しています。だがそれは現実には対応していません。現実とは、中国の後押しでクメール王国を崩壊せしめたポル・ポト派の民主カンボジア政権相手に援助が行われ、しかも実際には援助物質は北ヴェトナム軍の傀儡であるヘン・サムリン勢力によって奪い取られて、北ヴェトナムに運びさられているということなのです。何たるイロニー！　皆さんは、この地で、赤十字のマークをつけたユニセフの車を見かけたでしょう……」

何人かの頭が頷いた。

「いま、これらの車が、略奪物資を積んで、アンコールワットから盗みだした仏像と一緒に、どんどん北ヴェトナムへ運んでいるんですよ。政治の実権は、ヘン・サムリン

の樹立したプノンペンの現政権の手に握られているのです。国連は、一昨年、賛成多数をもって外国軍撤退を議決しましたが、それは成就されていません。生き残ったこの国の民衆の不幸は、二百万同胞を抹殺したポル・ポトの政権に牛耳られながらも、ヘン・サムリンの政権に支配されることはもっと耐えがたいと感じていることなのです。民主カンボジアは、それでも同胞だが、北ヴェトナムは敵国だからにほかなりません……」

「では、われわれは」と、遠くから女性の声が上がった。「どうすればいいと云うの？」

見ると、右手スロープの上方、一本の大きな木の根かたに、サングラスをかけた女性が手帖を手に立っている。「イギリスのガーディアン紙の記者です」と彼女は名乗った。

「自由世界は、第三の」と私は応じた。「そして最も正統的なこの国の継承勢力を忘れているんではありませんか。ここにおられるソン・サン氏が議長をつとめるクメール・セリカです」

そう云いながら、右隣に立つソン・サン氏のほうに手を伸ばした。

「だって」と、別のきいきい声が遮った。今度は、前から二人目の、草の上にあぐらをかいたアジア系の女性だ。

「人民日報の特派員です」と勝ち誇ったように告げてから、彼女は突っかかった。「こ

んな、歴史から取り残されたマイナーなグループに何ができると云うの？」

「貴国がシアヌーク殿下を厚遇している間に、なるほど、クメール・ルージュが大活躍してカンボジア王国をつぶしてくれましたからね」

思いがけぬ反撃に、うら若いその中国女性は、ぶるっと身を震わせると黙りこんだ。深入りは険呑と思ったらしい。

そのとき、彼女の右手にやや離れて、目立たぬように帽子を深めにかぶった男が、ちらとこちらを見た。われわれ日本人救援団の中にまじってここまで同行してきている、たしか中野という名のメンバーのように思えた。フリー・ジャーナリストとの触れこみだったが、誰とも一言も口をきかない、陰鬱な、正体不明の男で、おそらく中国側のスパイだったと、のちに私は手ひどい目に遭って気づかされるに至る。だがそのときには、一瞬、暗い影を感じただけのことで、次の発言に注意を奪われた。

＊その男を中国側のスパイと気づいたのは、次のような事情からである。カンボジアから帰ってから私はルポルタージュを書き、それは『文藝春秋』に掲載されるばかりになっていた。当時、「疑惑の銃弾」シリーズで名を馳せていた阿部副編集長が「さすがです」という惚れこみようで事は進んでいたのだが、話を聞きつけた中野某が原稿を読ませてくれとしつこく迫り、そのときには難民救援団の一員ということから私は信用して、つい読ませてしまったのだが、そのあと、副編集から電話があって、割愛と告げられた。中国の悪に触れた一文で、当時としては画期的内容だったと思う。それだけに敵方にとっては絶対に阻止したかったのであろう。自分の甘さを呪ったが、手遅れだった。

「僕は、あなたの云うことが分かるような気がしますよ」と、今度はフランス語の声が上がったのだ。左手のすぐ目の前に坐った青年だった。「フィガロ紙の記者です」

こう聞いて嬉しかった。同紙は、当時はまだまだ右派で、三島事件直後の特集号に私も書いたことがあった。青年はこう言葉を継いだ。

「あなたがソン・サン氏の抵抗勢力を前王国の正統的継承者だと云ったのは正しい。できればクメール王国を復興してほしいと僕も個人的に願っています。しかし」と、真っ正面からこちらを見据えて彼は尋ねた。「あなたは何国人なのですか。いったい、どうしてここにいるんですか」

「僕は日本人です。ボランティアとして、難民救援団に加わってここまで来ました。第二次大戦後、チベット、続いてカンボジアと、偉大な王国は倒れました。日本は、アジア最後の王国……皇国として、それらの運命に無関心ではいられません。貴国の偉大な文化人、マルローは、こう云ったではありませんか。『願わくば、勝利は、望まずして戦争に巻きこまれた人々の側にありますように』と。しかし、実際は、これらの人々は抹殺されただけでした。死屍累々のこの国で、銃剣のかわりにサトウキビを付けて、非暴力主義の軍隊を擁しているのは、ここ、ソン・サン氏の陣営だけです。どうして味方せずにいられるでしょうか……」

ここで記憶は途切れる。

思いがけずクメール王国復興国民戦線のスポークスマンになったかのような立場で、国際記者団を相手にこうしゃべったのを最後に、我がカンボジア行は別の次元に入ってしまったからだ。歴史の対極――霊性の次元に。

そもそも私が救援団参加を思い立ったのは、実は一枚の写真に心を動かされたからだった。ジャングルの中で、ソン・サン氏を中心に、片膝ついて熱心に祈る将兵の光景である。そこに、崇高な魂を感じた。

加えて、あらかじめ洩れ伝わってきたある噂に、ひどく好奇心をそそられたからでもあった。国民戦線の兵士たちの間に不思議な予言が広まり、絶望のなか、それに励まされて兵士らは戦っているというのだった。現地で親しく接して私は確認したことだが、例外なく彼らは、ポル・ポト派によって肉親の誰かを殺された人たちばかりで、残された一縷の生きる希望をここに託して駆けつけてきていたのである。このような人々を励ましている予言とは如何なるものか知りたい、と思った。告白すれば、それがこのボランティア活動に身を投ずるひそかな動機となっていた。

私の関心を見てとった関係者によって粋なはからいが取られた。問題の予言に通じた

一女性と帰路を同行させてくれたのだ。

それが、前述の「カンボジアのジャンヌ・ダルク」こと、スオン・カセー夫人にほかならない。彼女は、生まれ替りを受胎調節によって実現した世にも珍しい経験の持主だったのである。

スオン・カセーの賭け

スオン・カセーは、時にまだ三十七歳の若さだった。

つねにソン・サン氏の右にジェンデル将軍、左にカセーというふうにトリオとして行動しているので、重要性は自ずと知れた。

小柄で、よく笑う。男ものの太い黒縁の目鏡をかけ、上下真っ黒の忍者スタイルに身をつつんだ外観からは想像のつかないような苦しみを、彼女は耐えてきたのだった。夫をクメール・ルージュに殺され、愛児をさらに失って、やはりフランスに亡命していたが、ソン・サンと合流すべく、失われた祖国に引き返してレジスタンス活動に身を投じていたのである。

スオン・カセーをめぐって国民戦線本営で私が聞かされた経歴はその程度だったが、

思いがけない成りゆきから帰途を一緒することになって、道中、世にも珍しい体験談を直接に本人からとっくりと聞く巡り合わせとなった。予言と国家の命運、輪廻転生、さらに小乗仏教国なるがゆえの必滅の悲運——こうした他では絶対に聞きえなかったであろう、ことごとく実際に生きられた秘密を——。

しかも、われわれの目ざす先は、タイのバンコクだった。そこでは、ワット・ポー、「暁の寺」が待っている！

本営の置かれたスロック・スレン村から国境をこえて、バンコクまでは、一日がかりの行程である。小さな四輪駆動車に乗りこんだ。スオン・カセーと私のほか、救援団の組織側幹部の日本人男性が一人。こうして終生忘れえぬ啓示の旅は始まった。

沈みゆく太陽を追って、高原から平地へと午後のあいだじゅう走りつづけながら、そのとき聞いた話は、傷ましいばかりの茜《あかね》色の空のもとの水田の風景とともに、消しがたく私の心に染《し》みこんでいった。

それに、語り手は、自身、数奇な運命をたどったレジスタンスのヒロインである。

道中、ぽつぽつと彼女は自分の経歴から語りはじめた。それによると、生まれはバッ

タンバン州。九歳にしてパリの学校に入れられ、十八歳で母親の意志により帰国させられた。愛娘《まなむすめ》がフランス人と結婚するようになることを母が望まなかったからだった。また、スオンが外交官になりたいと云いだしたときも、外国に行ったら両親に会えないという理由で、やはり母から反対された。

母刀自《ははとじ》の、スオンにたいする異常なほどの熱愛は、あとで世にも不思議な転生の体験談を聞かされたときに、実感をもって私にも納得されたことだった。

フランス語に加えて完璧な英語の実力は、まずプノンペンの英語学院で身につけた。のち、弱冠二十四、五歳にして、シアヌーク殿下のもとで英文月刊誌『カンプチア』の編集長をつとめるほどの俊才ぶりを見せた。

元首シアヌークとスオンとのつながりは、この月刊誌編集に加えて、殿下の個人通訳と内閣書記官を兼ねたほどの重用《ちょうよう》ぶりをもってしても窺い知ることができる。

いっぽう、ソン・サン氏との関係のほうは、そもそもフランスの商科大学を出たばかりの俊英ソン・サン青年に政治のいろはを仕込んだのが、当時、地方の州知事のスオンの祖父だったという因縁があった。また、彼女の学んだ英語学院の院長ソン・セン（ソン・サンではない）は、のちに呉越の間柄となるポル・ポト政権の国防大臣に出世している。ポル・ポト内閣の副総理イエン・サリの夫人も英語に強く、スオン・カセーと同

学の仲であった。

当時のカンボジアの国運を動かしていた国内の三勢力——シアヌークのカンボジア共和国と、ポル・ポト（クメール・ルージュ）派と、ソン・サンの国民戦線と、そのすべての機微につうじている女性は、この意味でもスオン・カセーを措いて他にはなかった。

一九七〇年四月、シアヌークの追放とともに彼女は情報省に移り、シリクマタク氏が首相となるやその個人通訳に選ばれた。三年後、同氏の下野とともに文部省で英語教員養成講師となった。

一九七九年末、ソン・サンの国民戦線が結成されるや、スオンは子供たちをパリに残して、単身、ただちにその陣営に馳せ参じた。

彼女の夫は、農林省局長だった。一九七五年四月、プノンペン陥落の直前に、同地で開催予定の国連のメコン河開発会議の準備に忙殺され、あくまで職務に忠実たらんとしてカセー氏は踏みとどまっていた。危機を目前に、妻と二人の子供を先に逃がしたあと、踏みこんできたクメール・ルージュの軍隊によって捕えられ、拷問され、そして数日後に殺された。

「夫や私の歳ごろの知識人は、この国ではほとんど皆殺しにされてしまいました。生きていれば夫は四十五歳になりますが。私は七つ歳下です……」

「お国に、いま、不思議な予言が広がっているようですね」

と私は待ちかねたように切りだした。

「流血は巨象の腹に及び……」と彼女は詩のように吟じた。「バラモン僧のあいだで口伝されてきた予言ですが、この国が現在こうむりつつある災厄について、すべてそこに云いつくされていたのです。これからどんな解決をたどるかということも……」

「あなたはその予言の内容をご存じなのですね？」

「はい。予言の筆稿本は、代々私の家に伝えられてきたものですから。幼いころから私はそれを繰りかえし読んできましたので、だいたいのところは誦《そら》んじています」

舗装されていない田園の一本道を、車は土埃《つちぼこり》をあげて毬《まり》のように飛び跳ねていく。聴くほうも、語るほうも、並んで頭を低い天井にぶつけながらの会話で、とても深遠な予言に耳を傾けるというような雰囲気ではない。他と隔絶された空間という意味では格別だったが。

スオンは語りはじめた。

「予言は、仏暦二五〇〇年（西暦一九五七年）後のカンボジアが空前絶後の血の海に覆われるという事実を物語っています。（南アジア一帯は仏暦を使っていますからね。今年――一九八一年――はその二五二四年に当たります）。その後、今年に至るまでに

起こったことは、ことごとく掌《たなごころ》をさすごとく的中しているのです……」

さっきまでの屈託ない笑顔は掻き消えていた。ちらりと私は、左側の彼女の表情を眺めやったが、窓から吹きこむ風に無造作に編んだお下げ髪をなびかせながら、心なしか、その横顔は巫女のようにこわばってみえた。

「予言は四つの出来事をつぎつぎと云い当てていたのです。第一の予言は、《国王は父王より先に出世す》と云っています。このことは、西暦一九四一年四月二十六日に、シアヌーク殿下の外祖父であったシスエ・モニワン国王が崩御して、シアヌークが代って国王に即位したことをもって成就されました。殿下は当時、サイゴンの中学生にすぎず、かつ父君が健在であったにもかかわらず、この父君を飛びこえて王位に就くという事態が起こったのです。

時に仏暦二五〇〇年に先立つこと二年前、国の崩壊は、知らずして、しかし着々と赤色勢力によって準備されつつあったのです……」

まっすぐ顔を前に向けたまま、スオンはそこで一旦言葉を区切り、やがて憑かれたように語りはじめた。

「第二の予言は、いよいよ国の未曾有の惨劇に触れています。それはこう云っています……」

《……仏暦二五〇〇年を過ぐるや、カンボジア国内に血潮流れん。そは、溢れ広がりて、巨象の腹にまで及ばん。河川はすべて朱に染まり、街路に行人の姿なく、家々に住人の影没し、城市空々として無人の境とならん……》

まさしくそのとおり、仏暦二五〇〇年を過ぎること十三年目（西暦一九七〇年）に、まず、国の分裂が起こった。ロン・ノル将軍がクーデターを起こし、シアヌークは北京に奔《はし》ってロン・ノル打倒の旗を挙げ、ここに内戦の火蓋が切って落とされたからである。仏暦二五〇〇年の前後といえば、時あたかもクメール・ルージュがポル・ポトやイエン・サリを首魁として、森中に潜伏していたころである。彼らはそうして国家転覆活動の機を狙っていたのだ。これが北ヴェトナム軍を後楯とし、シアヌーク側（中国）と手を結ぶことによってロン・ノル政権下のカンボジア共和国と戦い、五年後、仏暦二五一八年（西暦一九七五年）にプノンペン陥落の悲運へと立ち至ったのであった……

「ですから」とスオンは言葉を継いだ。「第二の予言が三百万同胞を殺戮したポル・ポト派の残虐行為を告げるものであったことは、まったく疑いようがありません。実際、これ以上簡潔にカンボジア没落の光景を云い表すことは不可能でしょう……」

キャンプの一つで私が聞いた話によれば、カンボジアの河川は余りにも屍体が多く浮かびすぎたため、水は腐敗して飲めなくなったということだった。難をまぬがれたのは上水道のあるプノンペン市のみで、しかもここはすでにヴェトナム領だった。

「第三の予言は、ちょっと難しいの」とスオン・カセーは言葉をついだ。「《一本の草、一匹の犬の尾にまつわりて、気息奄々《えんえん》の人々、都より野犬に駆逐されん》というのです」

なるほど、ずいぶん謎めいている。

しかし、彼女は、ずばり云った。

「これは、仏暦二五二二年（一九七九年）、北ヴェトナム軍が、その傀儡政権の首領ヘン・サムリンを押し立ててカンボジアに侵略した事実を示すものに違いありません。クメール・ルージュによるプノンペン侵掠後四年、ここにカンボジア民族は、ヴェトナム共産軍という凶暴な犬のしっぽに振りまわされる一本の草の根になりはてた、という意味なのでしょう」

ほっと溜息をついて、彼女は一拍置いて云った。

「ポル・ポト一派も狂犬には違いなかった。でも彼らはカンボジア人であることに変りありません。ところが、こんどは、国民を奴隷化した恐るべき北ヴェトナム軍という

外敵――《野犬》なのです。その年の一月、民主カンボジア（クメール・ルージュ）政府軍がプノンペンを放棄したそのときから、新たな民衆の苦難が始まりました。食料は、貧農の人々がポル・ポト軍兵士らの目をかすめて辛うじて押し隠してきた種籾《たねもみ》に至るまで、こんどはヴェトナム側兵士たちによって略奪されてしまいました。そこで大飢饉が発生して、生き延びた人々は屍々累々を山野に築きながら大逃亡を始めたのです。《気息奄々の人々、この野犬に駆逐さる》とは、何と適切にこの惨状を告げていたことでしょう」

たしかに、またしても迫真的な比喩の一句ではあった。

そういえば、《流血は巨象の腹に及び……》にしても、『黙示録』に出てくる比喩とそっくりだ。《血、酒槽《さかぶね》より流れいでて、馬の轡《くつわ》にまで及ぶ……》との終末的光景に……

私は夢想に沈みはじめたが、続く言葉で我にかえった。

「北ヴェトナム軍侵入の報を聞くや、ソン・サン氏は、アメリカ政府に向かって、北ヴェトナム側をぜったいに支持しないようにと要請を発しました。同時に、餓死戦略によってカンボジア民族の抹殺をはかろうとする北ヴェトナム軍の蛮行に対して痛烈に抗議しました。こうして、ようやくカンボジア民族の饑餓救済運動が世界中に起こるようになったのです。先日の記者会見で、ムッシュー・タケモト、あなたが強調してくだ

さったとおりですわ」

そして、ちらとこちらに顔を振り向けて付け加えた。

「ここから、七ヶ月後の一九七九年八月、仏教の戒律にあえて逆らってのソン・サンの国民戦線結成に至ったのです」

車は、小さな谷川にかかった橋をこえるところだった。

半裸の男が岸辺で網を手に川面に入ろうとしていた。人跡止絶えた山間で、辛くも生き延びて穴居生活でも営んでいるのだろうか。

「ところで」とスオン・カセーの言葉は続く。「このソン・サン出現のことまで予言には云われているんですよ」

「ええっ、まさか！」

「本当よ。予言は、いつカンボジアが解放されるか、その時期まで明瞭にさししめしているのです。第四の予言はこうです……」

彼女は誦《そら》んじた。

あいかわらずゴムまりのようにはずむ車の中で、天井にぶつかりそうになる頭を時おり左手で支えながら、私は必死にノートを取りつづけた。

しかるのち、国は太平の一日とめぐりあわん。ここに一人の、痩せたる体軀、普通の肌色、清秀の人あらわれて、指導者とならん。

ときに中国より特令いたり、彼にさまざまの援助をあたえんとす。

このときまでに首都プノンペンはすでに崩壊し、バッタンバン州は廃墟と化してあらん。

民は生命の余燼をもとめ、アンコールワットにぞくぞくと結集しきたらん。

かくて家は再建され、国は復興されるに至らん。

しかれども、それまでの幾年かは、国はさらに悲惨をきわむること免れず。

馬の年しかり。

羊の年しかり。

猿の年しかり。

鶏の年しかり。

犬の年に至りて国と民との運、初めて好転し、

つづく猪年に明朗化し、鼠の年の来たるにおよびて、国家泰平を得るに至らん

……

これは大変な内容だと私は驚くばかりだった。すでに起こった出来事だけでなく、現に起こりつつあること、これから起こるであろうことまで、その年代までも挙げて明言しているからである。

明言といえば、「プノンペン」のほか、「バッタンバン州」という固有名詞まで、ずばり名ざしをもって云っているところが生ま生ましい。だが、なぜ、その名が特に云われたのか？

また、それに先立って、「清秀の人」——フランス語で彼女が云った言葉を直訳すれば「純粋で秀でた人」——とは？

そして何よりも、すべてに大団円をもたらすであろう「鼠の年」とは、いったい、いつであろうか？

私は興奮で声もうわずりながら尋ねた。

「それで、あなたの解読（デクリプトマン）はどうなんですか？」

「解読という必要のないほど、すべては明々白々ですわ」

スオンの口唇から初めて微笑がこぼれた。

「まず第一に、《清秀の人》とは、疑いようもなくソン・サンをさしていると考えられます。《痩せたる体軀、普通の肌色》を持ち……と云っていますが、カンボジア人とし

ては彼は色白のほうですからね」

「しかし」と私は言葉尻をさえぎった。「《痩せたる体つきの》指導者といえば、ほかにもいろいろといるんではありませんか？」

「そんなことはありません」

自信たっぷりの返事が返ってきた。

「ほかの人たち……シアヌークも、ポル・ポトも、キュー・サムファンも、またヘン・サムリンでも、見てごらんなさい。みんな、太っちょばっかりですから！」

そして明るい笑い声を立てた。釣られて私も笑った。

私が知っているのは、写真で見るシアヌーク殿下の、でっぷりとして肉感的な顔と体つきぐらいのものであったが。

「それに、もう一つの動かせないキーワードがあるのよ。バッタンバン州という名が出ていることです。私たちの国民戦線の大半が位置しているところですよ！」

その後、確認してみると、たしかにそうだった。しかも国民戦線本営のあるスロック・スレン村は、ぎりぎりバッタンバン州の北端に位置しているのだった。

十二支の名を挙げて予言された最後の「鶏の年」とは、ちょうど、その年、仏暦二五二四年（西暦一九八一年）に当たっていると彼女は説明した。

ほんとうにそうなればいいのだが！　ともかく、一九八四年、あと三年後という年代を明確に打ちだすことをもって幻のカンボジア予言は終っているのだった。

この終結は「国家安泰」とある以上、首尾よく外敵駆逐をもってすべては落着することを意味するのであろう。こうなれば大団円だ。つまり、民主カンボジア側が北ヴェトナム勢力を追いだし、同時に民主カンボジア政権内部の血液交換がなされていることを、それは意味するであろうから。

だが、ほんとうに、そうなるのだろうか？

窓外の落日を目で追いながら、だんだんと早打ちとなる不安な銅鑼の音を聞く思いがした。

プノンペン解放まで、あと三年……あと三年の運命だ。はたしてそこまで歴史が予言に従うであろうか？

窓外の風景が急に非現実的なものに見えはじめた。

車はさっきから緑一色の水田のなかを突っ走っている。稲は穂に出ている。ときおり水牛が悠然と泥につかっている。雨期ともなればこれらすべてを水没させる洪水を避け

て高床式に組んだ藁葺の農家が、椰子林のなかに、永遠の原始生活といった姿を見え隠れさせる。

どこまで行っても変化に乏しい風景のなかで目を奪うものは、不意に、杜《もり》なかに、驚くほど高く美々しく琥珀色の屋根の鴟尾《しび》を持ちあげて現れる寺院の景観である。重なりあった甍《いらか》の両端に、古シャム王国の踊り子の手振りさながらに鴟尾はぴんと跳ねあがり、落日に金色に映えている。

ようやくタイ領にわれわれは入ったのだった。

道は珍しく起伏に富んだ丘陵の一帯に出た。高らかに銃をかかげる兵士をあらわした彫像が、道のべに屹立している。

「北ヴェトナム軍を追いはらった記念碑です。このへんもずっと彼らの侵略を受けていましたから。ついこのあいだまで私たちのような車は、この道で襲撃を受けていたのです……」

ついさっきまで車窓の左側を走っていた太陽は、こんどは右側前方に来ている。

車は、沈む陽を追う形で疾駆している。平野の西空を紅々《あかあか》と染めながら、樹々を、水田を、藁屋の家を追い抜いていく赤い球体は、われわれの側で走りさえしなければ動くことはないのに、一見、いかにも車をどこまでも先導して飛びかけていくように見える。

「日本を出るまえは予言の噂を聞いて半信半疑でしたけれども」と私は云った、「いま委しくお話をうかがってみて、なるほどと納得が行きましたよ。特に私を動かしたのは、《清秀の人》とはソン・サン議長だと信ずる民衆の気持です。仏戒を守る身なるがゆえに戦闘に加わることをためらわざるをえなかったという彼のスピーチを聴いて、なるほどと思いました」

「私たちは小乗仏教の教えを信じております」

とスオンは応じた。

「小乗仏教はプリミチヴです。仏陀が人間苦の根源をもとめて、これをまぬがれるために出家したように、通常人も一生に一度は俗世を離れて僧侶の生活に入らねばならないと信ずる立場です。そうでもしなければ私たちは輪廻を免れることはできませんもの」

こう聞いて私は無知丸出しに反応した。

「ということは、あなたがたは、輪廻転生を信じていらっしゃるんですね?」

「もちろんですとも! それどころか、生まれ替りを信ずることが私たちの闘争形式に影響をあたえてさえいるのです。いいえ、非闘争形式と云ったほうがいいかしら……」

この一言に私は、磁石に吸い寄せられるように引きつけられるのを感じた。突然、想い出した言葉があった。「輪廻と非暴力運動(アヒムサ)とはどんな関係にあります

か？」と、インドのネール首相に向かってマルローが尋ねた質問である。驚くべき知性の女戦士スオン・カセーは、ある意味で、いままさにこの問いに答えようとしていたのだ。

「私たち人間は、せめて次の生まれ替りを避けるようにしなければなりませんわ」

と彼女は云った。

「生まれ替るか否かは、生命の最後の瞬間の欲望が何であるかによって決まります。それはちょうど、ガスの元栓を閉めずに外出した人が、いつまでもその考えに取り憑かれているようなものです……」

面白い比喩を使うものだ。

だが、内容は深遠だ。本論はこれからだった。

「基本的な考えは、従って、放棄ということ、欲望の放棄にあります。この放棄のために山の僧院に入り、ヨガ、瞑想をもって心身相関をととのえることを私たちは学ぶのです。戦場に行くまえに、どうしても殺さねばならないなら輪廻を考えよ、と私たちは云い合っています。どんなカルマが次にくるか、殺すのはひょっとして自分の子供たちかもしれない、と……」

「自己犠牲なくして殺しなるものは正当化されえないでしょう」

と私は云ったが、続く相手の言葉を聞いて、皮相だったかと恥じた。

彼女はこう云ったのだ。

「しかも、殺すことはできるだけ避けよ、と私たちは戒め合っているのです。だからこそ、北ヴェトナム軍に出ていってくれと云っているのです。敵であっても、私たちは殺したくありません。そしてこのことをソン・サン議長は繰りかえしアピールしてきているのです……」

「それにしても」と私は内心の動揺を隠しきれずに尋ねた。「あなたがたの精神的伝統のなかには、インドの聖典『バガヴァッド・ギーター』に語られる、あのような考えはないのですか。出陣をためらう王子アルジュナに向かってクリシュナ神がこう説いて聞かせますね――『誓って戦場への腰帯を締められよ』と……」

「あら、それは、大乗仏教、タントリックの思想ですわ」とスオンは笑った。「小乗仏教に剣を取れというイメージはないのです。ソン・サンにしても、仏典のなかについにそのような思想は見いだせなかったと云っています。代って彼は、キプリングのある詩のなかに非常な励ましを得たと云って、それをコピーして戦士たちに配っていました」

思いがけないところでキプリングの名を聞くものだ。往年の英国詩人で、『ジャングル・ブック』の著者、「東は東、西は西」と歌った人物が、まさかアジアの地下抵抗者をこんなにまでに感銘させていたとは!

それはどんな詩だったかと私はスオンに質問したが、彼女は知らなかった。細大洩れることなき閨秀報道官としては珍しいことだ。

だが、そのときには私は、まだ、カンボジア元首相が日本武士道に対する礼讃者であることを知らなかった。のみならず彼は感動的一文をこれについて草し、弘く流布せしめてさえいたという。

「たしかに、正当化しうる殺しなどというものはありますまい」

と、さいぜんの迂闊な発言を修正するつもりで私は云った。

すると彼女はこう応じた。

「軍事的勝利を得ることは私たちにとっては現実的でないのです。国民戦線を援けてくださいと私たちが叫ぶのは、つまり敵を殺さないためにほかなりませんわ」

はて、どういう意味だろう？

「ですから私たちには、北ヴェトナム側に対する日本の経済ブロックのごとき政策が有難いのです。遅まきながら日本政府は対ヴェトナムの経済援助を打ち切る挙に出ましたけれども……」

まことに重要なことを彼女は語っているのだ、と私はますます胸を打たれずにいなかった。

世間では、ソン・サン側の行動原理について、「軍事的解決ではなく政治的解決をはかろうとするもの」と、おぼろげながら摑みはじめていた。しかし、その理由がこれほどまでに深い宗教的哲理のものとは、なんぴとも思いおよぶところではなかったのである。

そこで、こう云った。

「マルローはこう云っていますね――『聖戦はあれども、聖軍はなし』とね。続けて、『正義の政治はあれども、正義の政党はない』とも云っています。目的は手段を選ばないというのが共産主義です。しかるにあなたがたは反対の道を取っておられる。そのために筆舌につくしがたい苦しみをなめていらっしゃるわけですが、そこにわれわれは稀なる高貴さを感じて打たれずにいません」

「でも、私たちは、そんなに自分たちが立派などと思ってはいませんわ」

この一言は、口のなかで溜息を嚙みころすようにして云われた。

「だって、すべては、私たち自身の間の腐敗から出たことなんですから……」

私はこの発想を知っていた。国民戦線の対外広報誌に繰りかえし書かれる厳しい「自己批判」を読んでいたからである。だが、直接にそれを耳にするのは初めてだった。

そこで、こう応じた。

「ソン・サン議長は何度もこう云っていますね。われわれには闘うべき三つの敵があ

る。北ヴェトナム侵略軍と、クメール・ルージュと、そして救いようもなく堕落した人々とである、と」

「他を責めるよりは自分自身を責めよ、と私たちは自戒しているのです。三つの敵にしても、いったい誰がクメール・ルージュの権力奪取を手伝ったのか、誰が北ヴェトナム軍の侵略を許したのか。こう考えたなら、結局はカンボジア人自身の上に責が負わされるのは当然ではありませんか。もちろん、真先に、前政体が責任を負うべきですけれども」

「前政体とはどれですか?」

「一九七五年四月以前のそれです。長きにわたって民衆は、政治権力者をはじめ、ありとあらゆる種類の高利貸やら無数の財界の寄生虫やらによって搾取されほうだいでした。ただ泣き寝入りするほかなかったんです。農民の貧困の原因をことさらに遠くまで探しもとめる必要のないことはお分かりでしょう……」

日本にもそういう時代があったのだと私は思った。「五・一五事件」も「二・二六事件」もそこから起こった。そして国は、そこから失墜していった……

ふと、声を低めて彼女は付けくわえた。

「私自身、長男を亡くしたとき、すべてを悟ったのです……」

そして、さらに低い声で、

「なぜあの子は死なねばならなかったのかと自問しつづけたすえ、結局、自分たちの国の腐敗の犠牲だったのだと……。つぎに考えたことは、この死を何かの役に立たせねばならないということでした……」

はじめての私的感情の吐露に、胸をつかれた。

「カンボジアで死んだのではありません。ヨーロッパで……チェコで、自動車事故に遭って死んだのですけれども。しかも、私の母もいっしょでした。私は子と母を失い、私を可愛がってくれた州知事の祖父にとっては娘と孫を失う結果となって、二人とも絶望に沈んでしまいました。夫も、そのころは生きていましたが、やがてクメール・ルージュに殺されてしまいましたわ……。ああ、ムッシュー・タケモト、こうした悲しみは、それを体験した者でなければ分かりませんよ!

私は生きる気力をなくして、ただ毎日を嘆き暮らすばかりでした。

そうしたある日、母の遺品を整理していて、そこに一つの書きつけを見つけたのです。

それは、古くから家に出入りしていた千里眼の女性が書いた家族の運命だったのです。

彼女は、アンコールワットの遺跡で暮らしているバラモンの修道尼でした。

歳を追って書かれた母の運命を、血走る目で私は読んでいきました。そして最後のと

ころで心臓の凍りつく思いがしました。五十八歳のところで未来予知はぴたりと空欄になっているではありませんか。そしてそれは、ちょうど母が事故死をとげた歳に当たっていたのです！

ところが、そんなある日、くだんのバラモン僧尼が、ひょっこり我が家にやってきたのです……」

話は急旋回をとげつつあった。

なんという思いがけない伏線が用意されていたことかと、ますます驚きながら私はスオン・カセーの次の言葉を待った。

「バラモン尼僧は私の様子を見て、こう尋ねました」と彼女は続けた。「なんで、あなたは、そんなに悲しい顔をしておいでじゃな、と。息子と母を同時に亡くしたのですと私は答えました。すると老婆は私の上方を指してこう云ったのです。何をいうかね。あの子は、ほれ、部屋のあすこに、ちゃんと留まっているじゃないかね。それに、あなたのお母さんも、自分の部屋に落ちついていなさるわい、と。

私は狂喜して目を凝らしました。しかし、霊能者でない身に死者の姿が見えるはずはありません。

そんな姿に哀れをもよおしたのでしょうか、バラモンの尼僧は、思いも寄らないことを切りだしてきたのです。あなたの息子も母親も、心からあなたを愛しておる。そしてその愛ゆえに、もういちどこの世に生まれ替り、それぞれ自分の母であり娘であるあなたのもとで生きたいと渇望していなさる。いいかね、よくお聴き。来年の六月から七月に赤ちゃんが生まれるようにあなたが受胎したならば、生まれてくる子は紛れもなく男の子で、それはかならず息子の生まれかわりと思うがよい。ただし、その場合、髪の色も顔かたちも、死んだ子とはまったく変ってしまっておるから、注意しなされ。また、三年後の三月から四月に生まれてくる子があれば、それは女の子で、かならずお母さんの転生じゃぞよ——と。こう聞いた瞬間、私は、これに賭けようと思ったのです……」

「賭ける」の一言は、「フェール・アン・パリ」(faire un pari) と云われた。一か八かの勝負を意味する「賭け《パリ》」で、パスカルの信仰を思わせる。スオン・カセーにとって、まさしくそれは、生死を決する大ばくちだったのであろう。

「私は霊能者から云われたとおりにしました。時はすでに八月でした。そこで、慎重に受胎調節をして——夫のまだ生きているときでしたからね——翌年の初夏に出産しました。生まれた子は、予言どおり、まさに男の子だったのです！　しかも、成長ととも

に、髪の色も顔かたちも、まえの長男とはまったく別人の観があることがはっきりしてきました。

そのようにして三年後も私は子を産みました。こんどは、これまた予言どおり女の子でした。しかも、双児《ふたご》だったのです……」

なんとも不可思議きわまる体験談を語りおえて、スオンは口をつぐんだ。


さいぜん私が「あなたは輪廻転生を信じていらっしゃいますか？」と尋ね、彼女が「もちろんですとも」と答えたときの確信に満ちた口調は、けだし当然であった。輪廻といい、転生というも、われわれ俗人……現代人にとっては、迷信ならずとも、せいぜい仮説、大仮説であるにすぎない。しかるに、この選ばれた女性にとっては、それは実験、彼女自身の人体実験であり、もはや証明でさえあったのだ。

そう考えながらも私は、とすると、われわれはどういうことになるのだろうと、ちらと思った。彼女は、秘義に入った。われわれは取り残されているのだろうか。

そこで、重すぎる課題を振りはらうかのように話題を転じて、こう訊いた。

「ところで、先程のカンボジア予言は、どうやって伝わってきたものですか？」

「バラモン僧たちが口伝えに伝えてきたものと聞いています。我が家には巻物となっ

て保存されていましたが」

「それによって仏言のカンボジア化がはかられたのでしょうかね。日本では、十三世紀の蒙古襲来のときに日蓮という大聖人が現れ、他国侵逼難《しんぴつなん》を予言して的中しましたが、同じ仏陀の言葉から発してその日本化がはかられたものなのかもしれません。末法の時代には、悪鬼に憑かれた大僧侶や偽聖者《にせ》たちが国中に充満するだろうという『法華経』の言葉を踏まえているようです」

すると、嘆息を洩らしながらスオンはこういうのだった。

「それこそは、カンボジアに、こんどの国難の前触れとして起こったことですわ。ソン・サンは、あらゆる腐敗堕落のなかで僧侶階級のそれが最悪であったと云っています……」

カンボジア国の現在にたいする恐るべき歴史的予言を聞き、これを語るカセー家の不可思議きわまる予言を聞かされたあとで、はたと私の頭に閃いたことは、けっしてその両者は無関係ではあるまいということだった。

ソン・サン氏も、カセー夫人も、「腐敗の犠牲」としてそれぞれの長男の死を受けとっている。シアヌークほどのプレイボーイまでが、愛娘の死に遭って、それを天罰と恐れ、もって政道を正さねばならぬと改悛するに至ったという。肉親の情のことさらに

厚いカンボジアの国民性とは聞いていたが、それにしてもこれだけの反応はほとんど病的ともいえそうだ。

「マルクスは間違っていました……」

不意に云われたこの言葉に、私は窓外の景色から視線を戻した。車は、バンコクの町の郊外を走っていた。五、六時間走りつづけて、ようやくわれわれは自由なる文明の一都市に帰りつこうとしているところだった。

「人権尊重は濫用されすぎています」と声の主は続けた。「フランス大革命の人権宣言はもっと高尚な理念をもって輝いていましたが。ポル・ポトだけなら、とても二百万人も殺せはしなかったでしょう。システムが殺したのです。それも、マルクス主義でもスターリン主義でもない、ただ単に共産主義のシステムが」

声は繰りかえした。

「ただ単に共産主義のシステムが……」

そして、強調した。

「人権々々と云いながら、結局のところ、それは、人間の権利に対する蹂躙以外の何物でもありませんわ！」

「僕は」と応じた。「ソン・サン議長があのスピーチで訴えた言葉を忘れることができ

ません。『ASEAN諸国、日本、アメリカ、韓国などの国々は、こぞって民族主義者であり自由圏を形成しているにもかかわらず、自分たちカンボジア人のみがこれら友邦国から見放され、孤立無援をかこっているのであります』と、血を吐くような叫びでしたね。また、最初、バンコクに到着したとき、あなたがた国民戦線の報道官——ヒン・クントン氏——が私ども難民救援団員に向かって叫んだ言葉も忘れられません。『この世界には連帯などありはしないのだ！　だから、共産主義陣営との闘いに自由圏は敗れるだろう。もしカンボジアが滅びるなら、他の世界も同じ運命をたどらずにはいないだろう！』と云っていましたね。僕はこの言葉を聞いて戦慄しましたよ。それほど真実と思われたからです。聞きようによってはこの言葉は、呪詛です。しかし、呪詛と思われるほどにそれは真実であり、明日の全アジア——日本も含めて——の運命への予言となりかねません。ポル・ポト派と云っても、それは結局、中国じゃありませんか。パンダ二匹に踊らされて、日本のメディアは何も伝えませんでしたからね……」

車は、宵の賑わいを見せるバンコクの市中に入っていた。ほとんど一日中、走る密室で命がけの超常体験を聞かされた不可思議な旅は終わろうとしていた。自分のこれまでの奇なる人生においても、それは、この上なく戦慄的な啓示体験の一つになりつつあった。

ふと、あることに思い至って私は、ぶるっと身をふるわせた。かのワット・アルーン、「暁の寺」は、このバンコクにあるのではなかったか——。

いうまでもなく、この寺は、輪廻転生を描いた三島由紀夫の畢生作、『豊饒の海』の神秘的ドラマの中心舞台として設定されている。武士道の再興を夢見ながら、なおかつ一人の可憐な「シャムのお姫さま」に自分は日本人の生まれ替りよと叫ばせて、その舞台をこの寺に設定しなければならなかった理由は、いったい何であったか？

死を決した明晰きわまる作家の頭のなかで、なにゆえ日本は、かつて自らが——聖徳太子以来きっぱりと——否定した小乗仏教の一国を選んで、これと交わらねばならなかったのであろうか？

「偉大な作品はすべて予言的である」とマルローは、ミシマについて私に語ったことがあった。旧約聖書的な意味において三島由紀夫は日本の予（預）言者であったとかねがね私は信じ、かつ、その最終作『豊饒の海』には凡俗にとって解きがたい大きな謎が秘されていると考えてきていた。この大河小説中で縷々展開される輪廻転生の思想は、複雑難解であって、この部分だけは世の批評家から顰蹙《ひんしゅく》を買うことさえあった。しかし私は、そこにこそ、この不可知論作家が生涯をかけて肉迫した生の根源的神秘の謎と

きへの鍵があると見てきていた。

結局は、白刃一閃をもって彼は糸玉の縺《もつ》れを断ち切り、「メナムの濁水を白絹の漉《こし》袋《ぶくろ》で漉《こ》した」のであるけれども——。

断ち切りはしたが、しかし、謎は、澱《おり》のように残るのである。

人はなぜ生まれ、生まれ替る、とされるのか？

また、この転生の原理は、いかに歴史とかかわりを持つのか？

義士の死、犢《いけにえ》の血……七生報国……

不意に私は、何かが胸奥に閃いた気がした。

そのとき、夢から揺りさますように、脇から声が聞こえてきた。

「なぜ死んだのでしょう、なぜ死んだのでしょうか、私の息子は？　でも、なぜ、また、あの子は甦ったのかしら？」

幻聴かと、耳を疑った。

ふと見ると、子守唄でも歌うようにスオン・カセーは一人ごちているのだった。

テレパシー的にこちらの考えを捉えていたのだろうか？

この瞬間、若々しいパルチザンのヒロインは、彼女にその子の転生を告げたというアンコールワットのバラモン老尼に変貌したかのように、一挙に年取ってみえた。

「ユキオ・ミシマは……」

と私が云いかけると、それを制するばかりの勢いで彼女はこう云った。

「その名は知っています。元来、仏教でもイスラム教でも自殺は許されません。いのちに、人は責任を持たねばなりませんから……」

そう云ったあとで、すぐ付け加えた。

「でも、あの死は、自殺ではありませんわ。千古の国の尊厳を守りぬくための自己犠牲だったのですから。それに、死者の仇をとることは他者への奉仕であると私たちは信じています。どうか……どうか……ミシマの死が、日本の若者たちの役に立って！」

凛として犯しがたいその口調は、古神殿の巫女さながらだった。

スオンは声を低めた。

そして思いがけないことを云いだした。

「私は……実は……死期を定められているの。アンコールワットの、あのバラモン老尼は、実は私のことも母に占ってくれていたのです。私が見つけた例の書きつけの中にそのことが書かれていました。母の不慮の死が、その占いの空白になった年代に起こったということは、お話ししましたでしょう。私についても、ある年代から先は、ぷっつり空欄になったまま終わっているのです。その年代とは……」

一つの数字を彼女は私にささやいた。

「私は、いま三十七歳と六ヶ月です。とすると、あと、もう……。そしてその間に、することは山ほどあるから大変だわ……」

笑いを含んで云われた一言だったが、そこにかすかに一縷の悲しみが流れているように感ぜずにはいられなかった。

この「恩寵の子」は、本当に彼らが信ずるように、代償を望むある意志によって国の復興と一つ運命に結びつけられているのだろうか？


その後まもなく、私は、もう一度だけスオン・カセーと会う機会があった。ソン・サン議長とともに訪日したときのことで、われわれ救援団が開いた歓迎レセプションに姿を現した。席上、彼女は、感謝のあらわれとして、カンボジアの古典舞踏を舞ってくれた。それは、黒ずくめの忍者スタイルの女戦士が、たった一回だけ見せてくれた虔しやかな華やぎだった。アンコールワットの浮彫から抜けでてきたかのような、しなやかな腰つきがねじれ、重ねた細い手指が、いままさに開かんとする薄明の蓮華のつぼみを象《かたど》った。

いや、スオン自身、亡国の荒野に咲いた一輪の名花だったのだ。

それが、誰もが彼女を見た最後だった。しばらくして、行方不明との風の便りが伝わってきた。人々はどこへ行ったのだろうと噂しあった。秘密を知っているのは私だけのようだった。だが、私は誰にもそれを洩らすことはなかった。

*

「ずっと南だ。ずっと暑い。……南の国の薔薇の光の中で……」

なぜ三島は、夢をたよりに、一人の日本人を「暁の寺」で南国の姫君と会わせるという奇想天外の筋立てを考えついたのだろうか？

想い出は、ふたたび、あのバンコク入りの夕べに帰る。

明日、私は、初めてその寺を訪ねるだろう。しかし、もう何十、何百年もの昔から、そこにいたような気さえしてくるのだった。

そして、いまや、『豊饒の海』の表紙絵でしか見たことがない、暁の寺の中の薔薇宮の、八面玲瓏のそのたたずまいが、夜の闇を透かして、現実に間近に見るよりも鮮明に、灼熱の光を放って眼前へと迫ってくるのを感じていた。

第五章　不壊の夜

タブー
　周辺はつぎつぎと高層マンションの街並みに変わっていくのに、ここ三田寺町の一画だけはちっとも変わらないと、杖を休めて見回した。

　陋屋《ろうおく》を出て、ゆるやかな勾配の一本道を昇ってきた。常林寺の前を通りすぎると、坂を昇りきった左角に、何の寺か、参玄洞という扁額を架けた門がいつも大きく開いている。その傍らの掲示板から、こんな文字が目に飛びこんできた。

　《叶わなかった夢の数より
　　抱きしめた夢のほうがずっと大事》――と。

　大きな白紙いっぱいに、墨痕あざやかに、太々と書かれて。

　なぜか、ぴりりと来た。

　神社と違って寺に説法は付きものだが、それにしてもこの界隈は、大体において陳腐な文句をさもさもらしく門前に貼りつけたところが多い。墓を売るだけじゃない、教訓も垂れますよと云わんばかりに。そんな中で、ここだけはいつも一味違う警句を掲げているので気を引かれてきた。今度のも、なかなかいける。

「抱きしめた夢」――なるほど。

叶う叶わないにかかわらず、現実に咲き、散っていった夢の数々よりも、確かにもっと「大事」な夢が、誰しものいのちの根源にあるのであろう。

最初からそれはあり、最後まで残る……

……と、肯定的に云い切るために、自分は今まで生きてきたようなものだった。

人が夢を抱きしめるのではなく、人のほうが抱きしめられているのだ――、そんな根源の夢に。

たぶん、生前から、そして死後までも？

この問いに、歩一歩と、我が人生は肯定的に近づいてきたかのようだ。

坂上まで、あと数歩、ふらつく足を引きずる。

と、真正面、別の門前に出た。

玉鳳寺、とある。脇に堂があり、灯りが点っている。その名も珍妙な化粧地蔵なるものの、赤頭巾をかぶった大頭が、格子ごしに見える。

その門前を左右に走る道は幽霊坂と呼ばれている。右に急坂を下れば桜田通りに出る。反対に、左手へと上れば、二本榎木《にほんえのき》通りに突き当たる。その通りを右手に進み、伊良子坂交差点を渡ってしばらく行くと、その先に旧高松宮邸がある。

来月、令和二年三月末には、上皇陛下と上皇后陛下美智子さまが皇居からそこ——仙洞仮御所——に引き移ってこられるというので、にわかにあたり一帯は活気づいてきた。

そんな変化と無関係に、我が草庵の一画は静まりかえっている。並行して走る桜田通りと二本榎木通りに挟まれ、七坂《ななさか》に囲まれて。

幽霊と蛇の間の名無し坂
　過ぐれば安全 聖《ひじり》 塩《しお》見る

埒《らち》もない戯れ歌が口唇にのぼる。ここらを歩き回っているうちに自然に生まれた。幽霊坂と蛇坂に挟まれた拙宅を出て右方向に行けば、名無し坂——と勝手に命名した——を通り、徐々に上って安全寺坂、ついで塩見坂を経て、聖坂《ひじりざか》へと至る。そこから一直線の道が南西に長々と延びている。それが前記の二本榎木通りで、そこを上っていくと伊良子坂があり、これをも含めて、これまた私の勝手な呼び名によれば「七坂」となる。

(伊良子坂で左折すれば、赤穂義士を祀る高輪の泉岳寺に行き着く)。

改めて思うに、七坂の内側の、江戸時代に八丁堀から移住してきた三十軒ほどの仏寺の只中、時代から取り残された一画に、陋屋は位置しているのであった。

日本人は、通りにはめったに名を付けないが、坂は、どんなに小さくとも命名する。異界の感覚からだと民俗学の本で読んだことがあったが、本当だ。

パリ防人の旗を巻いて帰国し、異界めいた三田寺町の住人となってから、十二年が過ぎた。傍目《はため》には隠遁と見えたことかしれない。オリヴィエ君からは、君は引退などしていないよと云われたが。何であろうと、老いは着実に進み、いまはこうして杖を曳く身となった。

それでも、その杖をたよりに、昨秋、思いがけなくパリを再訪してきた。ある本を出したきっかけに、二十日ほどの滞在だったが、その間に一つの印象的な出来事が起こった。

令和元年（二〇一九年）十一月十四日のことだった。その夕べ、パリへの招待主である笹川日仏財団で出版記念講演——『宮本武蔵 超越のもののふ』という著書と同題の——を行ったが、聴衆の中に画家バルテュスの夫人、節子さんを見いだして、どきりとした。ところが、それは、ずっと以前に予知されていいたのである。

ヨーロッパのハイ・ソサエティに君臨するこの日本女性を初めて私が見たのは、ローマのヴィラ・メディシス（メディチ家別邸）においてだった。もう三十三年も昔、自分のまだ筑波暮らしのころである。周知のごとく、この大殿堂はフランス芸術院として著名で、そこでマルローを偲ぶ集いが催されたときに私は招待されて日本から参加したの

だが、一週間の会期中、毎朝、サロンで、夫君のバルテュス画伯と一緒の節子さんの姿を見かけて惹きつけられた。（バルテュス氏はかつてヴィラ・メディシスの館長だった）。ドビュッシーの演奏ゆかりという堂々たるグランド・ピアノに椅《よ》って、なぜかその人はいつもひっそりと押し黙ったままだったが、かえってその姿は人魚のように超現実的に見えた。

ある朝、自分を抑えきれずに私は「マダム・バルテュス……」と話しかけようとしたが、とたんに、老騎士が王女にかしづくごとく寄り添った画伯から、「その呼び名では蔑称になりますぞ」とたしなめられ、驚いて舌を引っこめて、それきりとなった。

「セツコ・クロソウスカ・ド・ローラ伯爵夫人よ」と、今回、初めて正名を教えてくれたのは、アニエスである。先に皇后美智子さまの仏訳『セオト』を出版したアニエスが今回も『ムサシ』を出してくれたのだが、講演のあと、財団近くのホテル・リュテシアで夫人と私を晩餐に招く粋なはからいを見せてくれた。小雨降る晩秋のパリの憂鬱を吹き飛ばすような、明るい空色の着物姿の節子さんは、講演会場でもひときわ目立った。

歳月が、当麻寺の中将姫の像のように、美貌に翳りを深めていた。忘れっぽい私は、だが、二時間の会話中にも——その間に話題は故バルテュス氏と「市さん」こと座頭市の勝新太郎との親交やら氏の愛読の『五輪書』やらにまで及んだのだが——まったく忘れ

ていたことがあった。

ある夢に、講演会場の光景は予告されていたことを。

のみならず、私はそのことを既述さえしていたのだ。ほかならぬ本手記「第四巻 筑波篇」に。

呆けもほどほどと苦笑しながら、その「第六章 筑波越え」を読みなおした。筑波在住時代、ある日の未明に見たその夢で、私は日本武尊について講演を行っていた。《新《にい》治筑《ばり》波を過ぎて幾夜か寝つる……》という御火焼老人《みひたきのおきな》との有名な問答歌を引用してしゃべっていると、聴衆の中にバルテュス夫人の顔が見えた。目覚めて二階の寝室から階下に降り、テレビのスイッチをひねると、NHKの番組に歌人の岡野弘彦氏が出て講義していた。すると、氏は、《新治筑波》のその歌を引用して解説を始めたのだった。

こういう暗合にはもう馴れっこになっていたので、かくべつ驚きもしなかったが、なぜ節子さんが顕れたのかについては説明がつかなかった。たぶん、ヴィラ・メディシスで受けた印象が強烈だったせいであろう――それには違いない――、たよりない夢の気まぐれと考えて、そのときは片付けた。「夢の後半でバルテュス夫人が出て来たのは、お愛嬌である」と書いている。

ところが、それは、お愛嬌ではなかった。予知夢には違いない。が、おそらく何か意味のあることだった。

その夢を見たのは、既述したとおり、一九八五年十二月二十一日のことで、今回パリで講演を行ったのは二〇一九年十一月十四日である。その間に、三十四年もの歳月が流れている。そんなにも長年の間、夢は先取りしていた。待ち伏せしていた。なぜであろうか。

なぜなら、「日本武尊」がかかわっていたからである。パリでの講演の中心に、この「日本人の最も愛惜してやまない英雄」――と聴衆に伝えた――を置いていたのだ。財団での講演で私が引用したのは、御火焼老人との問答歌ではなく、《わが太刀はや》の辞世だったという違いはあるが。

それというのも、今回私がパリで伝えようとしたことは、『五輪書』や吉川英治の小説によってフランスでも有名な「ムサシ」をつうじて、「日本的超越性」を語ることだったからである。そのために、日本にしかない武士の辞世という風習に焦点を当てた。まず、九州小倉の巨大な武蔵顕彰碑をスクリーンに映し出して、そこに高々と彫られた武蔵の辞世、《仰げば、實相園満……》を示した。ついで、武士の間に伝わった日本独自のこの風習は、ヤマトタケルの《嬢子《をとめ》の床のべに我が置きし剣太刀《つるぎたち》その太刀はや》

に始まると述べたのだった。

さらに、歴史的代表例として、高松城水攻めの折の城主清水宗治の辞世をはじめ、赤穂城の家臣一同を慟哭させ、主君の仇討ちを決意せしめた浅野内匠頭の辞世などを挙げ、現代においても、太平洋戦争中の若き特攻隊員たちの遺詠、さらには三島由紀夫、森田必勝の辞世に至るまで伝統は脈々と続いていると指摘して、それぞれフランス語での拙訳を朗読しながら、こう結んだ。

「西洋ではサムライの切腹のみが知られていますが、それが辞世を伴って完結することは知られていません。武士道は、血をもって終わらず、歌《シャン》をもって終わるのです」

事ほど左様に、ヤマトタケルは日本的超越性の原点に生きている。日本の元型と呼ぶべきものに、その英雄像は属している。元型は生きている。いや、生きているのが元型だ。仰臥像《ジザン》のごとく、ふだんは眠っていようとも。情動という電流でスイッチが入れば、それは揺り覚まされる。ここでは一人の女性の面影がスイッチを入れ、ジザンは身を起こした。

しかも、私の場合、元型の目覚めは一生涯をつうじて繰りかえし起こってきた。ヤマトタケルをめぐってはこんなこともあった。

筑波を出て御殿場暮らしのころ、ある朝、不意に、静岡県の焼津神社に行きたいとい

う欲求に駆られた。そこで自分の寄寓先の倫理研究所富士高原研修所の学生数名を引き連れ、車を走らせた。焼津神社に行ったのは初めてだった。ところが、境内に入ると、人だかりがしている。見ると、芝生の一画で神官たちが火を焚き、それに消防団員たちが水をかけている。何事かと思って若い祢宜に尋ねると、こう答えるのだった。

「今日は、日本武尊が焼津の地で賊軍から火攻めに遭い、向火《むかいび》でこれに打ち克った記念日です。そこから当社ではこの日を消防の日と定めて、こうして毎年、鎮火の儀式を行っているのです」

何かが私の中でこの日を選んだことは間違いない。

だが、この何かは、何でもいいというわけではなかった。日本民族にとって永遠に実在しつづける英雄なればこそだった。幾つもの白鳥神社に祀られ、神として崇められているほどの——。

閃きが超偶然を引き起こした。だが、そこには念のはたらきもあった。

確かなことは、当時、自分が憂国活動のさなかにあったことである。「ならじ」という一語を自銘としていた。相模《さがむ》の国で日本武尊が火難に遭った故事を踏まえ、次のような歌を詠んで、そこから引きだした言葉である。

夷《えみし》らにさせてはならじ焼け野原
　草薙ぎ払ひ向火を焚け

柳原白蓮の仮名文字を継ぐ瀧澤和子にこれを揮毫してもらい――「夷という辞をわざと嫌たらしく書きました」と云われた――、幟旗《のぼりばた》のようにそれを押し立てて動き回った。その掛軸の前で小堀桂一郎氏とも対談した。明治神宮の権宮司、副島廣之翁からはたいそうお褒めいただき、こんなお手紙をいただいたのには面食らったが。

「これは、我が国もミサイル防衛せよとのお諭《さと》しだと受けとりました……」

そんなこんなで、思いはつのり、念は凝って、彼岸から木霊は返ったのであろう。いのちは、今生《こんじょう》に限られないということの証のように。

*

こう思い起こしながら、坂の上で、改めて私は我が家のほうを眺めやった。

大銀杏の木が、四階建ての素朴な建物をすっぽり覆っている。今回、パリに発ったときは、黄ばんだ葉が巨大な幔幕《まんまく》を広げていた。帰ってきたときには、一斉に、音もなく、

黄色い扇状の葉が舞い散っていた。

己自身を見るというドッペルゲンガー現象さながら、あの三階の窓の内側で、出発前に机に向かっていた自分自身の姿が見える。白ひげの孤老が、引用する辞世の句をせっせとフランス語に訳している。これらの武将は、自らの死に直面して、どれほどの思いをこめて筆を取ったことか。そう思ってキーボードを打っていると、いつのまにか涙が溢れてきた。

生涯凡夫の目にも、八十七年間生きて漸く一事がぼんやり見えてきたところである。人生に先行する夢なるものは確かにある、ということだ。生きるとは、そもそも生誕に先立つ夢の投影だったのではなかろうか。

しかも、前世からこの影が来ていないとは云い切れないのである。誰しも、いのちの余白で、かすかな予感にとらわれたことはないであろうか。自分はかつてあそこにあったのだ、と。

幻想家ではなく、むしろ行動家にこそ生まれ替わりの意識は強いという事実に私は注目させられてきた。しかも偉大な行動家ほど、より強いのだ。出光佐三翁は、自分が亡き祖母の生まれ替わりだと信じていた。カンボジアのジャンヌ・ダルクこと、スオン・

カセーは、亡き母と息子の転生を自ら胎内実験した。三島にも、マルローにも、転生の意識は最後まで付き纏っていた。どちらも、文武両道の達人である。

我が友、松見守道——これまた特異な活動家——は、死の淵から甦って、私に語ってくれたものだった。ゴッホの絵のような色彩乱舞の異空間をどこまでも飛びつづけていくと、最後に龕《がん》のようにすぼまったところに「小さな木の寝台」があり、自分はそこを目ざしていた、そしてその寝台に「どうも見覚えがある」と。

母の死の予知夢を思いだす。

留学生活一年目に、一夜、魂を震撼せしめられる夢を見た。たまらず飛び起きて、未明のパリの街をほっつき歩いた。帰宅すると、門番の婆さんから電報を手渡された。「勢《せい》以死ス。安らかな最期デシタ。父」とあった。その夢とは——

父母が睦まじく一室にいた。私は廊下にいた。煙のように漂っている感じで。母は、うら若く、輝くばかりに美しく、私に「お入り」と云うのだが、自分は親不孝の身を恥じて、もじもじしていた。

ここまでは先に物語ったとおりなのだが（第二巻 出遊篇第一章）、実は語り切れない点があった。いかにも微妙、隠微でさえあって、口にするのが憚られたのだが、実はこ

の云い落としの部分にこそ一番の秘密が隠されているように薄々感じてきていた。タブー、かもしれない。だがそれを解くべき時が来た。死にゆく母は、いのちの終わりではなく初めを見せてくれたのではなかろうか。

我が子の生誕の始まりを、である。

あの夢で母は譬えようもなく若く美しかったが、それはおそらく、死に臨んで、もともと歳を取らない人間の本性――菩提――が顕われたとともに、実際にそのように父の傍らで若く美しかった当夜の光景をも見せてくれたのではと思われる。

セピア色の古い写真の中でのように、若い父と母は、四畳半のような正方形の和室の中で親密な雰囲気にあったが、障子の外で浮遊しながらおそらく私は受胎の瞬間を待っていた。『チベットの死者の書』風にいえば、母の胎内に入る機を窺って……

ということは、そのとき、私――と思われるエンティティ（基質）――は、いままさに、前世からの転生をとげようとしていたことになる……

ただし、自分のその前世なるものは、かりにそれがあったとして、どれも暗かった。非業の死で終わっていた。また、そうでなければ、生まれ替わりを運命づけられることはなかったのであろう。

「私たちはみんな、次の生まれ替わりを避けるようにしなければなりませんわ」

スオン・カセーからそう云われた。

幾度か私は、「避け」きれなかったのだろうか。

釈尊は、『本生譚《ほんじょうたん》』（ジャータカ）によれば、五百四十六の前世を経てこられたという。仏典はすべてその物語を伝えている。しかし、日本の仏教学者は、ここから三十、さらに六つまでを真実として絞りこんだ。法隆寺の玉虫厨子に表された薩埵《さった》王子の捨身飼虎図は、その一つである。すなわち、ここが重要なところで、釈尊の転生はすべて、衆生済度《しゅじょうさいど》の悲願によって成されたということである。

天地の径庭とは、このことであろう。自分にも転生とおぼしきものが二、三あれど、どれも業の深さを感ずるのみ。

手記の第一巻冒頭で語ったとおり、一番古く、一番真実らしき前世体験は、四歳のときに見た夢で知った。椰子の木に襲いかかる怒濤の海は、真っ青だった。色つきの夢は自分の場合は例外なく正夢であることを考えると、これは真実だとの保証ではなかったか。どこか熱帯の島で、自分は溺死した身なのか。それかあらぬか、幼少時、極端に水が怖かった。その夢を見たのは、大阪から東京の深川に引っ越してきたときだった。若

い叔父の一人に連れられて初めて近所に出たとき、六間堀に流れる水が怖くて小さな橋を這って渡り、のちのちまで笑いぐさにされた。

二つ目のケースは、ピレネーの女性幻視者に云い当てられたとおりである。かつて私は反乱軍の長で、処刑されているというのだ。それは私の見た中で最も恐ろしい銃殺の夢とぴったり合っていたので、そう聞いて震えあがった。五・一五、あるいは二・二六事件と連座していたのかと少々調べてみたが、つまびらかでない。

右の二つに、第三の例をも加えようか。これもすでに物語ったが、次のようである。私は古代エジプトにいた。蒼古たる大円柱の陰で、ファラオ（帝王）と大祭司がひそかに会話するのを聞いた。大祭司はこう云っていた。「政治改革と霊性改革を同時に行わなければなりませぬ」と。古代エジプト史上、実際にこのような改革を断行したのは、紀元前十四世紀の王アケナトン*ただ一人しかいない。多神教を排して絶対神アトンを奉じた。もしかすると、大祭司は守旧派に殺されたのかも。そしてその進言を聞いた「私」――ここでも煙のように漂うエンティティ――は、彼自身か、その一味だったのでは……

*ちなみに、アケナトンの妻が、絶世の美女と謳われたネフェルティティであり、また女婿がツタンカーメンである。少年王ツタンカーメンは毒殺されたとの説もある。

すべて証拠なき幻想かと苦笑する。だが、捨てきれずにここまできた。古代エジプトから、南海の島、そして日本へ――。かりにそのような転生がありえたとして、その動機づけはつねに、横死だった。

バレエ・マスターのモーリス・ベジャールは私にこう云った。「自分は何にでも生まれ替わるということは信じないが、チベット人のいうトゥルク（念）、わけても死に臨んでのそれは再生する」と。

往生をとげた、つまり涅槃に入ったならば免れたであろう転生を、私は、今際《いまわ》の際《きわ》のトゥルク――苦悶の――によって繰りかえしてきた人間なのだろうか。

真っ青な大津波、ぴたりこちらに銃口を揃えて狙う死刑執行隊、朦朧たる古代大神殿の列柱……これらの光景は、現実といささかの変わりもなく、むしろそれより生々しくわが記憶に灼きついて離れることはない。

「輪を断ち切れ」――釈尊はこう教える。

「それも心々《こころごころ》ですさかい」

月修寺門跡聡子も、そう云う。

しかし、小説はそこで終わろうとも、凡夫の夢は終わらない。盲目のサムソンにとってのように、その目に見えなかろうと、縛りつけられた巨大な石臼がまたも回ってくる……

だが、それでいいのか。

手をつかねたままで？

七坂のかなた

月改まって三月三十一日、上皇御夫妻が皇居吹上仙洞御所を出て、高輪の仙洞仮御所（旧高松宮邸）へと移ってこられた。それに先立って私は、上皇侍従長から、両陛下がこれこれのご住所にお引き移りになりますとの丁重な知らせを受けた。

一月に中国の武漢から飛び火した新型コロナウィルスが、恐ろしい勢いで世界拡散し、日本をも呑みこみつつあるさなか、どんなにかお心を痛めてのお引っ越しであろうか。

令和の改元に湧いた、ついこのあいだまでの国民の熱気は嘘のように消えて。不安と沈黙に町々は閉ざされてしまった。

高齢者で糖尿病患者などは一番危ないとの警告に、

《老生は歳と持病でいちコロナ》

と呟いて、苦笑い。しかし、中国産ウィルスにだけは殺されたくないものだ。

1

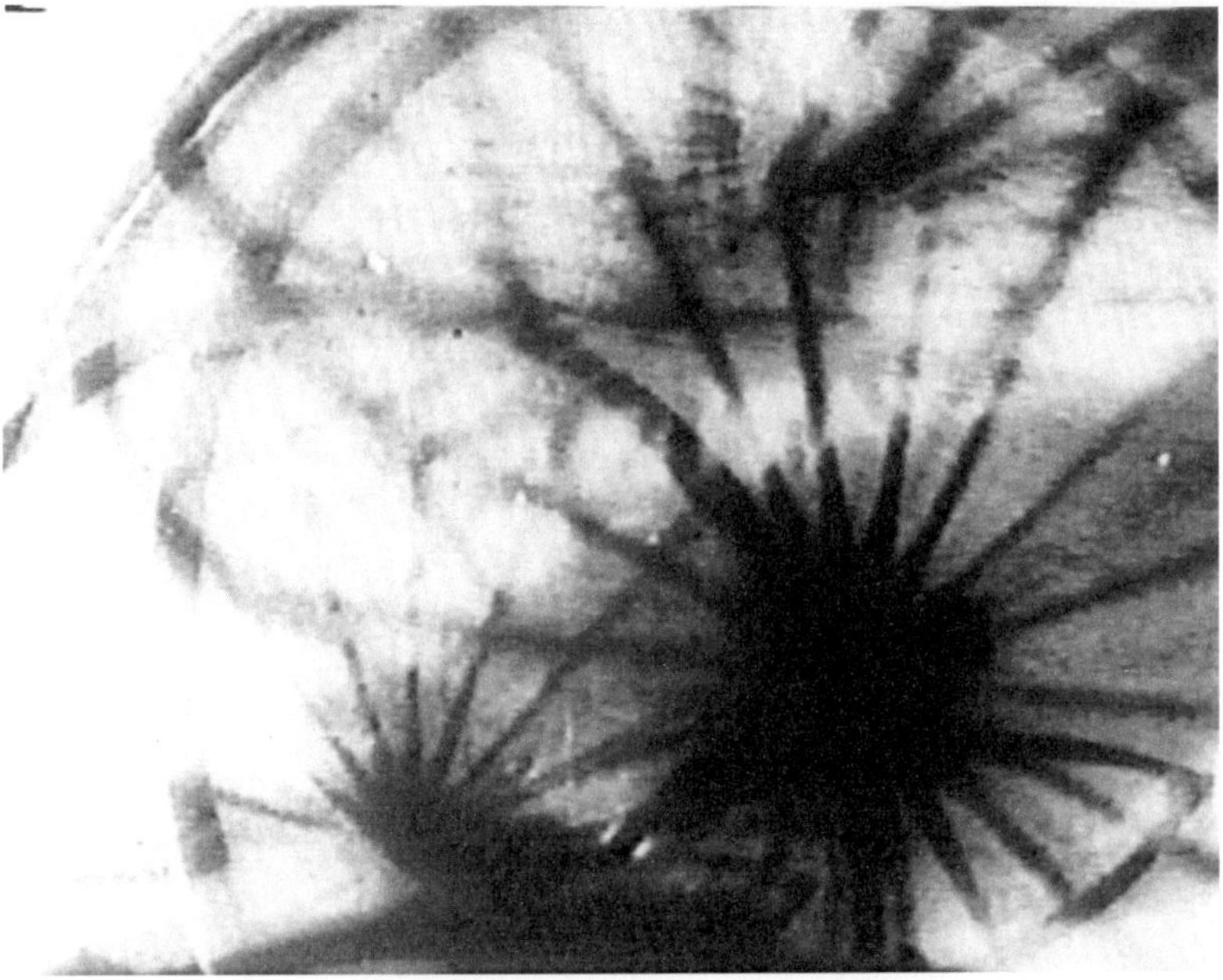

2

3

4.

1.　「車刑のある国で輪廻は恐ろしい」(マルロー)206頁。
2.　しかし、日本では逆に、川端康成や初期の三島文学に見るように輪廻は世にも美しいものとして捉えられていた。回転する車輪の影で評判となった映画『無法松の一生』第一作(板妻主演)の映像美に見るように。
3.　自刃を前に三島由紀夫からパリの著者まで送られた『豊饒の海』献辞入り3冊。
4.　「カンボジアのジャンヌ・ダルク」ことスオン・カセー。世にも不思議な輪廻転生の実験談を縷々語る(155頁)。

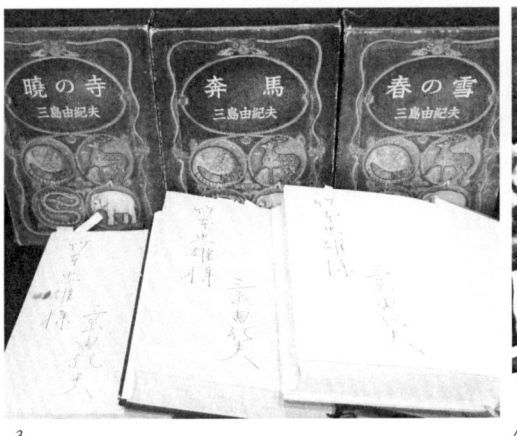

1

こんな心境で、四月はじめ、まもなく政府の緊急事態宣言が発せられようとするある日、大銀杏の下からぶらり外に出た。

左方向へ足を向ける。常林寺、参玄洞の前を通って坂道を上り、化粧地蔵の前で左折して、幽霊坂を上っていく。二本榎木通りに出たところで立ち止まり、右手方向を眺める。すぐ先に伊良子坂交差点があり、そこを突っ切って暫く行けば、上皇御夫妻の御新居に至る。先の見えない暗夜の始まりを、いかに不安にお過ごしであろうかと、しばし杖を休めてお偲びした。

そこから道を横断し、目の前の亀塚公園に入る。そして目を見張った。

満開の桜だった。

いずこも自宅自粛のせいであろう、白昼、人っ子ひとりいない。花よりほかに知る人もなし……まるで山桜のよう……と、しゅんとする。

とりわけ中央の芝生の向こうの一本の巨木に引きつけられ、近寄っていった。

その木は、根方から太々と二本に分かれ、それがまた幾重にも枝分かれして、中空に豁然と、白い花弁を吹雪のように撒き散らしている。

二叉に分かれた幹を見ているうちに、交野路のことを思いだした。夢は至高の啓示と私は考えてきたが、母の死の予知夢に継いで、あれほど魂を揺さぶられたことはなかっ

た。亡父に連れられ、一面の花ざかりの桜並木を歩いた。見上げるような巨木の並木道で、どれも二本の幹がもつれて一本になった光景を見ているうちに、それぞれが愛によってむすびついているのだと気づいた。ここはどこ、と問うと、父は、交野路《かたのみち》だよと答えて、姿を消したのだった。

本当にそのような場所があるのかと、二年後、私は探索の旅に出て交野を訪ね、果たせるかな、「峡崖道《かいがけのみち》」なる古道があるのを発見して、足を踏み入れた。

そのことは、その名も「交野路」と題した第五巻で詳しく物語ったとおりである。実際にその険しい山道を歩いてみて、これぞ父の告げた道であろうと直観した。そこは、遠く熊野に向かう巡礼の隘路で、同時に、民族の大いなる霊流の通い路だと分かった。それだけではない。峡崖道は、はるか先、吉野に始まる有名な修験道、「奥駈道《おくがけのみち》」に通じていると知ったのである。

もっとも、私が交野を訪ねたころは、「峡崖道→奥駈道」の連続性は、まだ周知されていなかった。のちに、平成十六年、（大峯）奥駈道をとおって熊野に至る峻険な修験道が「紀伊山地の霊場と参詣道」として世界文化遺産に登録されるに及んで、初めて、一部の人々に知られるようになったにすぎない。そのころから、交野市の観光の栞などに「峡崖道から奥駈道へ」などと紹介文を見かけるようになった。

亀塚公園で桜の巨木を見ているうちに、そんなことが思いだされてくる。

その場を離れて、巨木の向こうの長椅子に腰を下ろす。

そこから見渡すと、桜の木は、芝生を囲んで数本しかないのに、ふだんは平凡なこの一画が歌舞伎の回り舞台のように一場の華やぎに変わった妙味に、しばし陶然とした。

じっと視つめていると、風景の奥に峡崖道が顕れ、するすると伸びて奥駈道へとつながっていく。

そうだ、どうしてもそのルートを辿りたいとの気持を抑えきれず、またしても自分は交野へ出かけていったのだった。平成四年三月に夢に見て初めてその地に赴いてから二十二年後のことだった。

こたびは、倫理研究所の理事、野中寛治氏に同行を願った。同氏のご尊父は深く神霊修行を収めた方と伺っていた。私とは見えないご縁があったのだろうか。幼時、私は、大阪から連れ戻されて東京深川の神明神社の前で育ったが、熊本出身の野中久恒氏ははるばるこの神社に詣でている。その折、正殿前の石段で神懸かりとなり、体を弓なりにそらせて倒れず、小さなお宮だが途方もなく大きな神さまがおられると驚いたというのである。

野中寛治氏と私は、車で、峡崖道の出口から奥駈道の金峯山寺まで、七十キロの行程

を走った。世人にとっては、ただのドライブコースであろう。しかし、私個人にとっては、つかのま、父と共に居た彼岸の延長線にほかならないものだった。

ところで、二度目の交野行には、もう一つの目的があった。

それは、著名な古美術写真家にして独創的考古学者、小川光三氏を訪ねることだった。秘境大和の探訪にかけて、氏の右に出る人はいない。しかし、峡崖道を知っておられようか——そのことを確かめたかった。

小川氏は、古美術写真のパイオニア、父君の小川晴陽の後をついで、奈良、飛鳥園を経営していた。自身の傑作写真を展示した洒落たブティックに氏を訪ねた。白皙《はくせき》といった風貌の、謙虚な人柄に感じ入った。例の質問を投げると、この博捜《はくそう》の人にして、峡崖道のことはまったく知らなかったとのこと。東京に帰ってから、手紙を頂いたが、そこにはこうあった。

「ご尊父の夢でそのことを知らされたとは、真に驚異です」

たかが夢のことと聞き流されて当然なのに、まともに受けとめる人があるものだ。そのような方なればこそ、あの「太陽の道」の発見もありえたのであろうと感服した。九州、日向の地の神武東征に発して大和の国は「北緯34度32分」線上に築かれていったと

の小川説は、ＮＨＫテレビ「知られざる古代」の放送で、一九八〇年代に古代文化ファンを魅了したものだった。

私は根が億劫がり屋で、これはと思う人でも、自分から進んで訪ねたことはめったにない。しかるに、この方には、わざわざ奈良まで会いに行った。そのような場合には、暗在系的な理由が隠されているものである。

思えば、小川光三氏と私は、「空見つ大和の国」のヴィジョンの共有者であった。天の鳥舟に乗って、日本列島を空から——神々の視点から視ると彼も書き、私も書いていた。そのような視点で小川氏は、九州、四国から、関西の大鳥神社を通り、嵩縫邑《かさぬいむら》、泊瀬山、箸墓古墳、長谷寺……とむすんで、はるか伊勢斎宮に至る「太陽の道」発見に至った。私の場合には、つとに明治神宮で「空見つ大和の国」の演題で記念講演を行ったうえ、さらに、ツトム・ヤマシタ氏のサヌカイトの調べに乗って、古代大和の空を飛翔するヴィジョンを得たことがあった。泊瀬山を中心に、朧《おぼろ》な観音像を刻んだ巨木が山上に並び立つ景観が、つぎつぎと眼下に流れた。このことは、拙著『大和心の鏡像』に記してフィナーレとした。

もっとも、こんな幻想が容易に受け容れられるはずがない。同書フランス語版に対しては、批判の向きもあったらしい。これに対してオリヴィエ君はこう応じたという——

「これは、タケモトの才能だ。尊重しなければならぬ……」

「才能」というほどではないが……と、回想から覚めて、呟いた。しかし、ヴィジョンを取ってしまったら、我が人生に何が残るだろう。

たとえば、花見という。だが人は、本当に花を見るのだろうか。《さまざまの事おもひだす桜かな》と、さすが、芭蕉は穿っている。

東日本大震災のあと、「花は咲く」という素晴らしい歌が生まれた。このテーマソングで羽生結弦が滑り、辻井伸行が弾いた。これらの義援公演に、いかに被災者たちは感動し、在りし日を思いだしたことか。

けっきょく、人が見るのは、記憶なのだ。

それも、この世のことだけではなく。

大震災のあと、まるで『遠野物語』のように多くの幽霊譚が生まれた……

思いがここまで至ったとき、ごほん、と咳払いが聞こえた思いがして、思わず顔を上げた。

誰もいるわけがない。

ただ、頭上まで垂れ下がった巨木の一面の花かげに、亡き哲学者の湯浅泰雄博士が朦朧と佇んでいた。

「そうですよ」と影は答える。「霊魂は、この世に生まれ替わるとき、前世体験の記憶を失っています。それを思いだすことこそ、プラトンのいうイデア界に達することなのです……」

「とすると、先生……」と歓喜して私は叫んだ。「私が、この歳になって、いまだに自分の前世のことをあれこれ考えるのは、ただの老いの妄執ではないんですね」

「自己の魂に先住していた記憶を回想することこそは、重要です。回想、アナムネシス……」

そうか、二十歳代に、本郷元町のアパートで、自分の中に先住者が居ると感じたのは錯覚ではなかったのだ。一夜、邯鄲《かんたん》の夢の宿の盧生に自分は成りきって、自動書記風に一篇の長詩を書きあげ、そこから真実と思われる自分自身の人生を歩みはじめていったのだったが。

「筑波大学でのシンポジウム準備で私たちが行きづまったとき……」

そう云いかけると、とたんに私は湯浅博士の隣に並んで、一本の大きな枝垂《しだ》れ桜の木の下に立っていた。後ろに大学の本部棟が見える。二人とも、手に鞄を提げて。いつか

湯浅夫人が撮ってくれた写真にそのような光景があったっけ……。お先真っ暗な準備委員会で採まれてきたところらしい。

「……先生は、こう云われましたね。こういうアカデミズムの膠着を打開するには、君のような斬り込み隊長が必要だ、と……。どうやら私は、そんな隊長役で、前世でいったん処刑された身らしいのです」

懐かしい大頭で、ふむふむと頷く風情。

「そのようなオラークル（神託）を、ピレネーの女性幻視者から聞かされたのですが。先生とお別れしてから、ひとり、マリア顕現の聖地めぐりをしていたときのことです。いろいろの発見がありました。ずっと、お会いして、そのことをお話ししたいと願ってきました。いまこそ、それを……」

と云いかけたところで、おかしいな、湯浅泰雄はもうこの世の人ではないはずだと気づいた。

とたんに満開の枝垂れ桜は消え、染井吉野の巨木の花かげで私はうつらうつらしている自分を見いだした。杖は手から滑り落ちて草むらに横たわっている。

先生、影向してくださったのですね……もうじきお傍に行きます——あと、半靴の間だけ……

杖を拾おうとして身をかがめながら、涙はしたたり落ちて草露に変わった。

*

アナムネシス、アナムネシス……と、舌の上で鳴っている。

芝生を横切り、もういちど振りかえる。

円形に桜に囲まれた公園の中空から、紀貫之の歌が聞こえてくる。

　さくら花ちりぬる風のなごりには
　　水なき空に波ぞ立ちける

あゝ、日本の空！

散った桜のあとにまで、虚空にさざなみを残して。

しかし、青春のあなぐらでもがいていたころ、自分はむしろ、このような日本的静謐の極みを避けようとしていた。そこに安住してはならない、と。

引き裂かれたグレコの宗教画の空のような西洋文明の亀裂、そこからほとばしる苦悩

に、むしろ暗い輝きを見て、そのほうに引きつけられた。

そこから、パリへと旅立っていった。

何十年、ひとり、回国を続けた。

ついには、引き裂かれた空のもと、革命の廃墟に立って、無数の犠牲者の秘声を聞くまでに。

ローマを継承したガリア王国には、繰りかえし天から聖人賢者に悲劇の到来が予告され、悪との戦いを助勢さえされたが、ついに滅亡は避けられなかった……

そうだ、そこにこそ、王国必滅の運命をたどることにこそ、私のフランスとの契りの意味はあったに相違ない。

フランス政府給費留学生として、つまり共和国の恩義にあずかって人生を歩みはじめながら、共和国に取って代わられた王国の運命のほうに心引かれた。なぜかは分からない。が、いまから見れば、そこに、見えない糸に引かれるごとき一筋の道があったかのように思われるから妙である。ノストラダムスに打ちこんだのも、避けては通れない関門だった。ヴィジョン優先ということを、私は彼から学んだ。「余は予言者にあらず、幻視者なり」と明言している。人類未来史執筆という前人未踏の大冒険に彼が乗りだし

たのも、元はといえば、「ガリア王国」滅亡必至と幻視したればこそだった。

大学退官後、物に憑かれたように私は、今度はマリア顕現地めぐりの旅に出た。これは、奥義への第二の関門となった。フランス革命とロシア革命を予告したノストラダムス予言と、ロシア革命の世界的脅威を警告した聖母予言との間には、三百年の時をこえて一貫性があること、両予言のヴォキャブラリーには共通性さえあることを突きとめた。われわれ日本人にとっては極めて信じがたいことながら、神と悪魔の戦いという黙示録的ヴィジョンの未来投影が、西洋には永遠に生きつづけていると確認した。

神話とは、先行する根源的ヴィジョンである。

西洋のそれは、時の初めから終わりまで――聖書にいう「アルファからオメガまで」――神が悪魔と死闘を演ずるドラマとして展開する。ある時期から、悪魔は、人間から時間を奪いさった。そしてこれを「歴史」と呼んだ。「H」を大文字で書くヒストリー、東洋にはない概念をもって。その絶対化、ほとんど擬人化の偏向に気づいたときから、「H」は小文字となった。しかし、やんぬるかな、遅すぎた！

人類のエラーは、そのような歴史につまづいたことである。人権宣言の光輝のみを見て、その後に必来する恐怖政治の闇黒についてはは目をつぶることによって。

ギロチンのパリから、十月革命のロシア、中国、イランをとおってカンボジアに至るまで、例外はない。私は、中国の使嗾でクメール王国を倒し、二百万人同胞を虐殺したクメール・ルージュの支配下のカンボジアに赴いて、キリング・フィールドの地雷原をとおして、西洋伝来のサタニック（悪魔的）なものの影を、とっくりと透かし見てきた。以後、ソン・サン元首相がわれわれ救援団に投げてよこした「諸君、絶対に共産主義者たちを信じてはなりません」との叫びを、至上令として胸に刻んで生きてきた。

このような東西回廊めぐりこそは、我がさだめであった。

回廊の辻々で、超常現象と出逢った。それも当然で、我が回国は、霊性の水際《みぎわ》を離れることはなかったのであるから。

そこから、日本文化の本質について再考した。

世阿弥の創始した能の視点、特に、夢幻能のそれに引かれた。山本健吉氏は、むしろ往還能と呼びたいと提唱している。私も素人ながらそう感ずる。旅先で一夜の宿りをする神官や旅僧の前に顕れた童子や草刈り男が、実は稲荷明神だったり平敦盛の亡霊だったりする設定は、彼岸と此岸が画然と分けられない日本的霊性をまさに暗示しているように思われる。

我が遍歴も、ブエノスアイレスの宿や、ヴァレンヌの石碑前などで、想像を絶する怪異現象に次々と見舞われた。しかしながら、そこから、自分は諸国一見《いちげん》の僧ならずと痛感するばかりだった。回国はすれども、信仰なき身に、回向《えこう》はつとまらぬ。黒人奴隷の怨霊に取り殺されそうになったが、彼らのために祈りはしなかった。魂鎮めはしなかった。いや、できなかった。学問だけで、知識だけでは対応できない世界というものがあり、その前で如何に自分は無力かと思い知らされるばかりだった。

もう一つ、能から学んだことがある。

西洋文明によってわれわれは「個」の意識を深めた。他との差異――格差――の認識に始まらない革命はない。この点は、懺悔によって自意識を深めるキリスト教も似た役割を果たした。そこから、東洋においても、自分の人生の主役は自分であるとの自覚が強まり、個人主義思想が深まった。しかし、能は、われが、シテと呼ばれる主役ではないことを示している。旅するわれは、ワキにすぎない。その面前に、隠れたる真の主役が、まず、前シテとして顕れ、次に後シテとして本性を顕す。養老の滝の神は木樵《きこり》の姿で、住吉明神は老人の姿で顕れる。能舞台を前にしては、われが主役なりとする個人主義的観念など、吹き飛んでしまうのである。

今後、このような能エピファニー（顕現）の意味するところは大きかろう。それは、超自然の顕現が、夢の世界にも似て、変容の形をとるのはなぜかとの問題を課する。復活したイエスは、マグダラのマリアの前に庭師の姿をかりて現れ、マルコたち弟子の前にはエマオの旅人として顕れる。聖書解釈学においてはこれは極めて難解とされるが、能に仕立てればすっきりと理解されるのではなかろうか。

ここから、こう言問いたい。洋の東西を問わず、顕現と変容の関係が意味するものは何か——と。

西洋でも、かつては、自我が主役ではない虔しみ——ピエテ（piété）——の文明があった。神の前の虔しみなき王国はなかった。武士道と同様、騎士道は、そこから生まれた。

ガリア王国はルイ十六世の御代を最後に崩壊したが、ルイ十六世その人は敬虔であった。即位にあたり、自由主義哲学者たちから宗教的祝聖を阻止されたが、断乎実行した。しかし、前代のルイ十五世は、天軍の長たる聖ミカエルへの奉献を怠り、ここからフリーメーソンらの跳梁をゆるし、クロヴィス一世以来六十六代をもってガリア王国滅亡の道を開いた……

《己自身に背きて分裂せる王国は亡びたるなり》とのマタイ伝のイエスの言葉が、この上ない真実として甦ってくるのは、ここである。

私はそのことを、アルプス山中のラ・サレットを訪ねたときほど切実に感じたことはなかった（第七巻影向篇）。マリア――「ベル・ダーム」――は、そこで、二牧童の前に顕れて、未来人類の流血の惨劇をことごとく幻像で示し、一切は間近な「悪書の出現」をもって幕を切って落とすと予告した。二年後、西暦一八四八年、マルクスの『共産党宣言』出版をもってこれは実現した。

鈴木大拙師のいうとおり、霊性は大地とむすびついている。自ら発意した聖地巡礼の旅の終わりに、私は人界を絶した高原に立ち、輝くアルプスの銀嶺を見ながら、深く神秘を得心した。

フランス革命そのものは『共産党宣言』より五十年以上まえに起こったけれども、その思想が真に恐るべき武器と化したのは、まさしくプロレタリアを主体とするこの書が契機だった。同書がなければソ連は生まれず、中共も現れなかった。

卑近な例では、ケネディ大統領の狙撃犯、オズワルドがテロリストとなったのも、十五歳で同書を読んだことがきっかけだった……

世界最後の皇国日本――立憲にしてかつ君主国――が《分裂せる王国崩壊》の運命を今日まで免れてきたことは、もって世界史の奇観とするにたりる。しかし、明日もという保証はない。ガリア王国の滅亡が、革命以前に、男系を主とする建国以来の王室典範「サリカ法」の廃棄に始まったように、女系天皇容認の皇室典範改訂が行われたならば「一系の天子」国日本は終わりを告げるからだ。

国の誇りとする高い道義性よりもシステム改変の利便性を政治が選ぶとき、その国は変質し亡びはじめる。

新型コロナウィルスは国難と云われているが、無頼な隣国への過度の忖度により我が国の対応が遅れたごとき、危険な徴候はないであろうか。国民的反対を押し切って習近平国家主席を国賓招待しようとした政府案が留保となったことが、せめても「武漢ウィルス」の奇貨とするところと、国民のほうが賢明にも胸を撫で下ろしている……

そういえば、昨日、ツトム・ヤマシタ氏からこんなことを聞かされた。(天才的打楽器奏者ヤマシタ氏については、「第六巻 秘声篇」でパリ公演の武勇伝を語った)

老生の身を案じて、有難いことに彼は毎月一回、京都の家から長電話をかけてくれる。ところが、昨日の口調はいつもと違っていた。北山に行ったところが、杉の木が

みんな「九〇度に」倒れているのでショックを蒙ったというのである。水の枯渇のせいか、何のせいか、ウィルス大流行など地球的異変をも併せ考えて、このままにしておいてはならないと、市長に申し入れた——と。

京都の北山杉といえば、丈高い、細身の、凛とした風情が、日本人の感性にぴったりで、文化的に広く愛されてきた。私は行ったことがなく、川端康成の『古都』の舞台として美しく描かれたことを思いだす程度だが、ヤマシタ氏は、経済活動と霊性文化をむすぶ観点から、産・学・音《おと》一体型の、京都より世界への発信プロジェクトの総指揮の立場に立っている。さぞや無念であろうと胸が痛んだ。

詠嘆は続いた。

京都の土地は、いまや中国人に買われている。街は大半が中国人の観光客で溢れかえり、もう静かに住むこともできない。移住を考えているほどだ、と。

どんな場合でも闊達な笑いと鷹揚な姿勢を崩さない友の高踏的人柄を知るだけに、初めて耳にする沈痛な声に、いうべき言葉もなかった。

コロナ後の世界がどうなるかについて世界的大争鳴が興りつつある。

「政治とは諸現実の総合なり」とド・ゴールは云ったが、いまや、「諸現実」の大半は

経済問題であり、経済問題の大半は中国である。しかしながら、霊性文化の視点を繰り入れれば事態は別個の様相を呈してくる。

毛沢東が若きダライ・ラマに向かって云った「宗教なんて阿片だよ、君」との言葉に見るごときナイーブさが露呈されてくるからだ。

「共産主義とは、しょせん、別個の信仰、宗教なのだ」と、ソ連全盛の時代に、ベルジャーエフからソルジェニーツィンに至る二十世紀の偉大な預言者たちが喝破したことが想起される。

『共産党宣言』を読めば分かるとおり、意外にも、というよりも本質的に、マルクス主義イデオロギーは複雑性を排して短絡的であり、科学的というよりは神がかりなのだ。それもそのはず、「精神とは物質の取りうる最高の形態である」との独断を基盤としているからだ。

ならば、われら日本人は、いかなる自らの神話をもって対するか、自信をもって臨むべきときであろう。

日本的霊性の特質はそもそも、分けないことに存する。分けて分けないことに。

『古事記』冒頭の「幽顕出入」の一語がこんにち意味を持つのは、ここであろう。それはこう示唆する。幽（霊性）の世界を加えなければ顕（政治・歴史）の世界は見えてこない、と。

古代ギリシア人の世界観もこれに近いものがあった。二つの民族が戦うときは、それに先立って神々が二派に別れて戦うと彼らは信じたのだ。

歴史から神話を切り離すことをもって得々とした時代は終わった。合理偏重ではなく、ルーツからのトータル・ヴィジョン――「全一統体」（丸山敏雄、一九五〇年）――に基づいた人間的真理尊重の上からの新科学が、すでに呱々の声を上げている……

*

気がつくと、私は、二本榎木通りに立っていた。

亀塚公園を出ながら、わずか数歩の間に、何と多くの思念が胸に去来したことであろう。すぐには幽霊坂に戻る気にならない。七坂の終わり、伊良子坂の方角を改めて眺めた。かつて「高輪」は「高縄」と書いたという。高地に、縄を張ったように、真っ直ぐ長い道が通っているところから名づけられたとか。いま私の立っている通りがそれだ。我

が庵の位置する三田寺町は、かつがつこの一直線の縄の末端につらなっている。

十二年前、御歌の訳業を終えて帰国したとき、勿体なくも皇后さまから胡蝶蘭の鉢植えをお送りいただいた。パリからの引っ越しの荷ほどきをしている最中に届いたので、感激ひとしおであった。ずっと、建物の表玄関の正面に飾らせていただいた。ふと思う――浮雲のごとき根無し草であった老生がここを終《つい》の棲み家と定めたのは、初めにこのお浄めを戴いたからにほかならない、と。

ところで、交差点を渡ると右側に松嶋屋という団子屋があるのを、美智子さまはご存じでいらっしゃるだろうか。名代の大福餅は昭和天皇もお気に入りだったとの評判で、住みはじめたころ、私も何度か買いに行った。

高輪仙洞仮御所――旧高松宮邸については私は何も知らない。が、丸山敏秋氏から聞いたことがあった。高松宮妃癌研究基金への寄付のことなどで参上すると、そのつど、喜久子妃殿下がお庭の色とりどりの薔薇を編んで、お父様にと、当時病中の倫理研究所会長竹秋氏を見舞う優しいお心づかいを見せてくださったという。

その薔薇園とはどのようであろう、美智子さまはどう見ておいでであろうか。皇居では「プリンセス・ミチコ」と命名された薔薇をお育てで、その写真をみ徴《しるし》としたカードを頂戴したことがあったが……

昨年お詠みになられた御歌を思わずにいられない。平成三十一年正月、皇后陛下として最後の宮中歌会始で披講された。

今しばし生きなむと思ふ寂光に
園《その》の薔薇《さうび》のみな美しく

美智子さまの御歌の礼讃者かつ翻訳者として私は、幽顕出入の妙ともいうべき歌風にずっと魅了されてきた。時にあって時をこえ、場にあって場をこえて、全一世界を見透しておられる。大和歌の常として、いささかも抽象、超現実に傾くことはない。一木一草、すだく虫の音、人の心までも、飽くまでも松風のごとく自然、陽光のごとく透明に歌いだされる。が、それでいて、非時間が、うっすらと黄昏のように滲みでてくるのだ。詠み手ではなく、読み手の心に、である。

ある年、

生命《いのち》あるもののかなしさ早春の
光のなかに揺り蚊《ユスリカ》の舞ふ

を拝したときがそうだった。一瞬、私は、蚊柱に、螺旋状に舞い駆ける無数のひとがたを透かし見た気がして、戦慄した。これぞ、ヴィジョン先行――。「生」と題された平成二十一年の歌会始のこの御歌披講から二年後に、東日本大震災は起こった。

ゴヤのある絵が思いだされる。

朦朧と、亡霊のごとき人影が密室でうごめいている。床に横たわった骸《むくろ》のごとき群像の中央に、片肘ついて半身を起こしかけた人物が一人。どの輪郭も定かならず、すべて闇の中に沈みつつ、薄霧のごとく正面から浸み透る光に、からくも影絵のように浮かびあがっている。

「ペスト」と題するこの絵を初めてマルローの『ゴヤ論』の中に見いだしたとき、非常な衝撃を受けた。二十七、八歳、私自身が闇中にもがいていたころのことである。衝撃というもおろか、開眼であり、啓示だった。そのとき自分の心に生じた反応を、いまでもありありと思い浮かべることができる。私はこう考えたのだった。

これは、不幸の極地の世界だ。だが、もしこの光がなかったら、闇しか残らない。不幸を不幸と見極められないであろう――と。

突如と襲う病苦と死、「新型コロナ」と呼ばれる二十一世紀版ペストを前に、いま、

あの絵の恐るべき啓示性が甦る。

銀河系宇宙の中心のブラックホールの可視化まで可能とする現代文明が忘れさせた「人間の条件」――業《カルマ》を、縮尺的に見せてくれる天才の芸術があったのだ。

闇を照らす光を、それはさししめしていた。

いかに朧《おぼろ》なりとも。


しかしながら、光と闇は、そこでは鬩《せめ》ぎ合っている。対立葛藤が西洋文明の本質だ。

反対に、寂光というとき、それは対立をこえている。影をつくらない幽光として、美醜をこえてすべてを覆いつくして。

月修寺の門跡のまえで、本多弁護士が見た庭も、そのようであっただろうか。

「寂寞をきわめ……記憶もなければ何もないところへ、自分は来てしまった……」

京都の法然院の、あの不思議な砂壇が思い浮かぶ。そのかたわらに、「寂」と一字彫っただけの、小さな、虔ましい墓があり、裏に回って谷崎潤一郎の名を見いだしたときに喫した感動を。

寂――

日本人なら、この一字だけで、その何たるかが分かる。夢はいつも、そこに帰ってい

く。ふるさとのように。

思えば、私も、若き日に、一夜、そこに生きたことがあった。あなぐらで、不意に求道者盧生に成りきって、邯鄲の夢の枕で一睡し、目覚めたときに。

圓窓《まるまど》から眺めると、変容した風景が見えた。そして歌った。

寂光の都の使節
めくらめく光の蛇よ
幾夜むかしからのさだめであろうか
ここでおまえに出逢うのは
黄菊の微笑をひろげる村はずれの地蔵のまえで？

幾星霜かが過ぎ、この詩を含む拙い詩集を、御所で、皇后さまに手渡しさせていただいた。その場でページを繰り、お読みくださった……

「ロジエー！」と、声がする。

私は依然、同じ街路に立っている。

宵闇のなか、高い長い縄……いや、道が、七坂をこえて、仙洞仮御所の前をするするすると延び、と思うと、そのかなたの空に、一点、発止と、金星が穿たれた。

私は視つめる。

と、その下方から、恐ろしいほど研ぎすまされた下弦の月が静々と迫《せ》り上がってくる。引き絞られたその弧線が射放ったのであろうか、小さな蛍火のような燐光が、老いの目に、おぼろに滲む。

何か、それは近づいてくる。

我が身をくくりつける——またしても！——車輪か、それとも……

何であろうと、もはや迷うまい。

たとえ幾たびか転生を重ねてきた不悟の身なりとも、いや、それゆえにこそ、今度こそ、それを断ち切れと、かの声は投げられたのであろうから。

ラジャ・ラオの声が聞こえてくる。

「死とは、光への路なのじゃよ……」

そうか、薔薇は、その徴《しるし》だったのか。

一つ火よ、薔薇と咲け——寂光に！

されば、振り撒かれる光条が、車輪の輻《や》ではなく、輝きの花弁であれと念じつつ、不壊の夜に、じっと瞳を凝らした。

（未知よりの薔薇　完）

二〇二〇年四月十九日

竹本忠雄

『未知よりの薔薇』全巻リスト

第一巻　由来《ゆらい》篇
第二巻　出遊《しゅつゆう》篇
第三巻　流浪《るろう》篇
第四巻　筑波《つくば》篇
第五巻　交野路《かたのみち》
第六巻　秘声《ひせい》篇
第七巻　影向《ようごう》篇
第八巻　寂光《じゃっこう》篇

竹本忠雄（TAKEMOTO Tadao 1932 〜）

日仏両国語での文芸評論家。筑波大学名誉教授、コレージュ・ド・フランス元招聘教授。
東西文明間の深層の対話を基軸に、多年、アンドレ・マルローの研究者・側近として『ゴヤ論』『反回想録』などの翻訳、『マルローとの対話』などを出版、かたわら、日本文化防衛戦を提唱して欧米での反「反日」活動に従事（日英バイリンガル『再審「南京大虐殺」』等）、その途上で皇后陛下美智子さまの高雅なる御歌に開眼し、仏訳御撰歌集をパリで刊行、大いなる感動を喚起して、対立をこえた大和心の発露の使命を再確認する。
令和元年11月、仏文著書『宮本武蔵　超越のもののふ』（日本語版、勉誠出版）を機に、87歳でパリに招かれて記念講演を行い、新型コロナウィルス流行直前に帰国して、構想50余年、執筆8年で完成した『未知よりの薔薇』の米寿記念刊行に臨む。

未知《みち》よりの薔薇《ばら》　第八巻　寂光篇《じゃっこう》

著者　竹本忠雄
発行者　吉田祐輔
発行所　㈱勉誠社
〒101-0061 東京都千代田区神田三崎町二－一八－四
電話　〇三－五二一五－九〇二一㈹

二〇二一年七月二十四日　初版発行
二〇二四年十一月八日　初版三刷発行

印刷　製本　株式会社コーヤマ

ISBN978-4-585-39508-9　C0095

9

10

9. 新型コロナウィルスの猖獗を前に甦るゴヤの名画「ペスト」(231頁)
10. 「コルドバからツクバへ」の冒険で共闘した湯浅泰雄博士と著者(216頁)。かなたに筑波大学本部棟。その中の企画室で悪戦苦闘し、最後に本願達成する。湯浅夫人撮影。

4

6

5

2001年、カエサル『ガリア戦記』に名高いローマ・ガリア両軍の激突したアレジアの古戦場にて(44頁)——
4. 最終決戦の日、カエサルは赤衣の戦闘服に着替えてガリア軍に向かった。
5. 偶然、同じく赤衣を纏って、同じくアレジアの高地の前に立つ著者69歳。画面左上から奇怪な何かが接近してくる…(54頁)

「日本人は、ランラン2匹に踊らされ、キリング・フィールドを忘れた」(香港紙)——
6. 200万人を虐殺され崩壊したカンボジア王国の難民救援団に、1981年、著者49歳、ボランティア参加。更に奥地のクメール民族救済国民戦線に潜行し、サトウキビの捧げ銃で迎えられる(145頁)
7. 国民戦線議長ソン・サン氏の傍らで記者会見に臨む。
8. 同じく潜行してきた自民党議員団の扇千景氏と戦没者慰霊碑に詣でる。

7

8

1

3

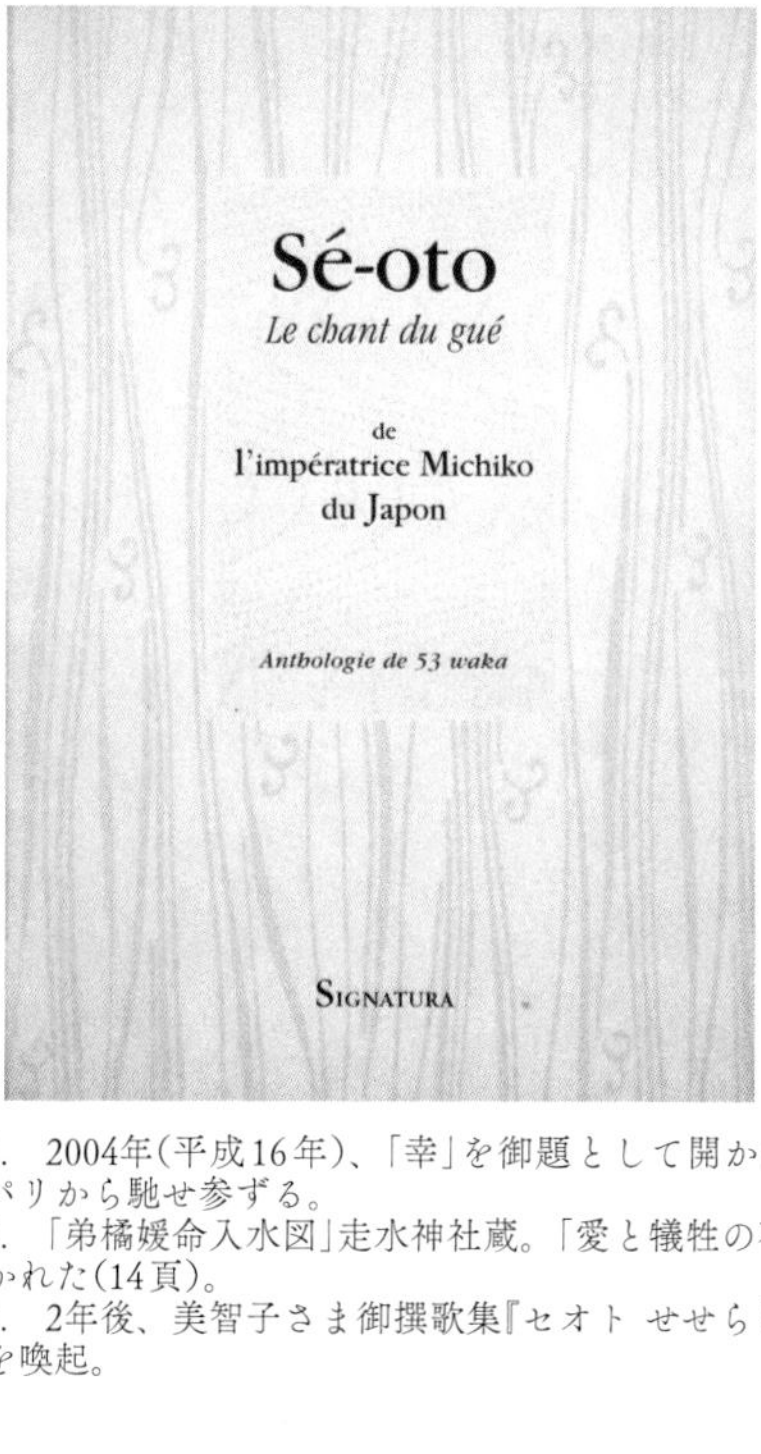

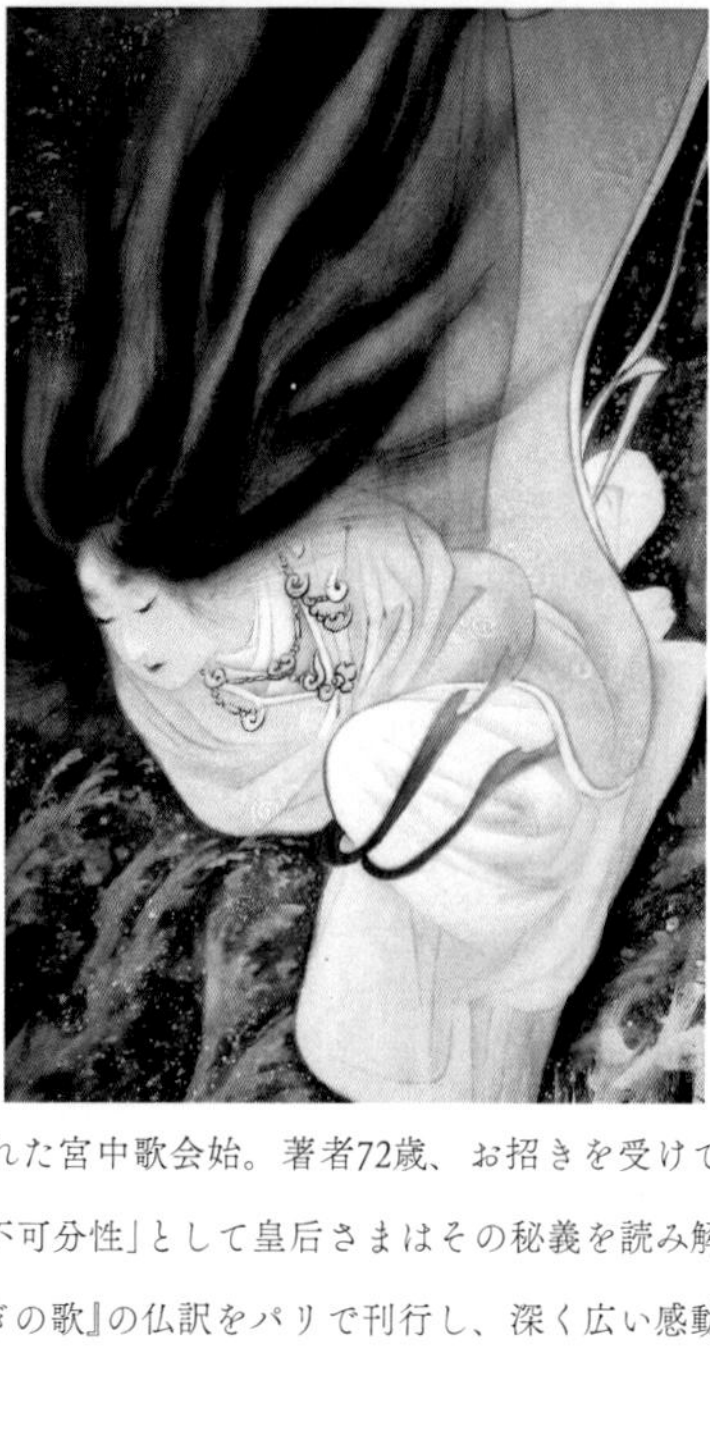

2

1.　2004年(平成16年)、「幸」を御題として開かれた宮中歌会始。著者72歳、お招きを受けてパリから馳せ参ずる。
2.　「弟橘媛命入水図」走水神社蔵。「愛と犠牲の不可分性」として皇后さまはその秘義を読み解かれた(14頁)。
3.　2年後、美智子さま御撰歌集『セオト　せせらぎの歌』の仏訳をパリで刊行し、深く広い感動を喚起。